Universale Economica Feltrinelli

PAOLA CAPRIOLO
IL NOCCHIERO

Feltrinelli

© Giangiacomo Feltrinelli Editore Milano
Prima edizione ne "I Narratori" marzo 1989
Prima edizione nell'"Universale Economica" marzo 1991

ISBN 88-07-81160-X

IL NOCCHIERO

I

Anche quel giorno, nel tardo pomeriggio, si incamminò per il viale in salita. Quando ebbe raggiunto l'Hotel Excelsior andò a sedersi come sempre a un tavolino del caffè e vi rimase a lungo contemplando ora il panorama, ora l'ambiente che lo circondava. Il caffè dell'Excelsior era il più elegante della città. Non lontano dal porto, gli dava tuttavia le spalle con indifferenza, e quelle salette rivestite di damasco, quell'ampia terrazza dalla balaustra di marmo sembravano a Walter l'avamposto di un mondo più nobile e sereno, per sua natura sottratto a qualsiasi preoccupazione materiale.

Signori del luogo, turisti, ufficiali di vascello, splendidi nelle loro uniformi, sorseggiavano chi un liquore, chi una tazza di tè, ma lo facevano come creature disincarnate che per gioco fingessero di avere ancora un corpo. Walter li guardava bere, ne osservava i gesti, e capiva che a spingerli non era la sete. Obbedivano piuttosto alle norme di un rituale magnifico e futile, infinitamente lontano dal porto e dalla sua gente. Laggiù non vi era gioco, ma una serietà plumbea in cui non appariva altro scopo che seguitare in eterno le proprie esistenze e i traffici mercantili dai quali dipendevano.

Walter attraversava sempre in fretta la zona del porto. "Sono diverso," diceva a se stesso, "io sono diverso," e quasi per averne conferma alzava gli occhi verso la mole dell'Excelsior, bianca sopra tutto quel grigio come la divisa di un ufficiale che spicchi nella calca degli uomini di fatica.

Lassù, dietro la facciata, le finestre ritagliavano rettangoli dal cielo e dal verde tenue e azzurrognolo delle colline. Parevano cartoline illustrate di cui il tempo avesse sbiadito i colori fondendoli l'uno nell'altro, e dalle quali fosse stata eliminata ogni traccia delle opere umane. "Ecco," pensava Walter, "così sarà il mondo quando avremo cessato di esistere." E tale pensiero gli procurava uno strano sollievo.

Ma il suo posto preferito era la terrazza, dove il paesaggio si schiudeva senza confini e lo sguardo poteva seguire fra i dorsi dei colli la linea tortuosa del fiume. Non il fiume che si apriva nella vasta insenatura del porto, il fiume indicato dagli atlanti come una delle principali vie di comunicazione del paese: benché si vedesse spesso una nave risalire la corrente o discendere verso l'estuario, una lancia, una chiatta, un battello, Walter non riusciva a credere che muovesse da un luogo per raggiungerne un altro. Non riusciva a crederlo perché qui tutti i fili si spezzavano, non vi era più un da dove né un verso dove, e anche il passaggio delle navi svelava di quassù la propria finalità più autentica, puramente estetica. La stessa che sull'altra riva induceva le pendici boscose delle colline a tuffarsi nell'acqua, il sole a tramontare ogni sera proprio di fronte alla terrazza, e faceva descrivere al fiume una curva stretta in modo che l'Isola rimanesse celata alla vista.

Così sedeva anche quella sera sulla terrazza del caffè, mentre il cielo trapassava lento, senza fatica, da una tinta più chiara a una più scura. Il suo tavolino era accostato alla parete e talora Walter si volgeva pigramente a osservare l'interno attraverso il vetro di una finestra. Talora invece spiava l'andirivieni dei camerieri, aspettando il momento opportuno per un cenno che richiamasse la loro attenzione: non aveva sete, ma il rituale doveva essere compiuto.

Dopo avere ordinato una bibita guardò di nuovo

verso la saletta. I suoi occhi abbacinati dal tramonto si riabituarono gradualmente alla penombra, e cominciò a distinguere di là dal vetro le file dei tavolini che correvano parallele da un lato all'altro della stanza. La prima era addossata al muro esterno e uno dei tavolini corrispondeva esattamente al suo.

A un tratto una mano di donna si protese sulla tovaglia verde. Le dita sottili e senza anelli presero a giocare con lo stelo di un bicchiere; vi si stringevano intorno e poi lo lasciavano, con un moto ritmico, regolare, come seguendo il dipanarsi di un motivo musicale. Il polso della sconosciuta era cinto da una lunga spirale di argento liscio che faceva pensare a un serpente. Lo stipite della finestra nascondeva la figura seduta, si vedevano solo la mano, il gioiello e il braccio nudo.

Walter contemplava affascinato, dimentico del sole che calava alle sue spalle, dietro le colline i cui profili si stagliavano neri e già notturni contro l'estrema vampata della luce. Non avrebbe saputo dire in quale istante si fosse realizzato il passaggio dall'ultimo chiarore alla prima tenebra. Del buio si avvide soltanto quando un cameriere venne a cancellarlo accendendo il lampione che sporgeva dalla parete, poco discosto da lui, sopra un sostegno ricurvo di ferro battuto.

Seguì distratto la breve operazione, e appena il cameriere si fu allontanato tornò a guardare verso l'interno. Le lampade illuminavano la superficie del tavolino. Il braccio era scomparso.

Lasciato il caffè, discese i vicoli della zona del porto dove gli uomini ancora si affaccendavano, e raggiunse la piccola trattoria in cui era solito cenare. Pensava al braccio nudo e al gioco delle dita sottili. Ci pensò tutta la notte, mentre aspettava l'ora della partenza seduto su una panchina di fronte al molo della Compagnia, e poi mentre guidava la chiatta sul fiume silenzioso.

Cercava di fissare nel ricordo i dettagli dell'immagine, senza domandarsene il motivo né provare sorpresa dinanzi a quell'improvvisa fascinazione. Il particolare che più gli tornava alla memoria era il bracciale d'argento: forse perché non aveva mai veduto un gioiello simile, o perché ravvisava nella sua assoluta semplicità qualcosa di morboso, quasi di crudele.

Più che adornare il polso, gli era sembrato lo tenesse prigioniero; immaginò intorno alla donna catene invisibili che forse mettevano capo a qualche luogo, quello da cui proveniva o quello dove era diretta, ma lassù, nella sala dell'Excelsior, il loro giogo si era fatto mite, come sospeso, e aveva assunto la forma lieve di un braccialetto. Altrove, forse, le spire avrebbero serrato la carne fino a incidervi il proprio disegno.

Così andava fantasticando mentre la chiatta risaliva la corrente, e il fiume, con il suo corso sinuoso, gli pareva un bracciale d'argento circondato di tenebre.

La sera dopo arrivò al caffè più presto del solito e sedette allo stesso tavolino. Il braccio era lì, nell'identica posa di abbandono. Walter ebbe la sensazione che vi fosse rimasto sempre, appoggiato sulla tovaglia verde, e che la sua scomparsa non fosse da attribuire a uno spostamento nello spazio, ma a un fenomeno diverso: il braccio non si era spostato, piuttosto l'assenza lo aveva momentaneamente coperto, come un sipario copre la scena immobile alla fine di uno spettacolo.

Adesso le cortine erano tornate a sollevarsi in modo che egli potesse assistere alla replica. Vi assisté quella sera e le sere successive, e ogni volta era incantato da qualche nuovo gesto, ma il suo interesse andava soprattutto al gioiello a forma di serpente. Vi scorgeva il simbolo di una schiavitù che suscitava in lui un'attrazione singolare e insieme il desiderio di abolirla, di riscattarla.

L'uno o l'altro di questi sentimenti, o forse entrambi, lo spinsero un giorno a interrompere la sua contemplazione: si alzò e si avviò deciso verso l'interno.

Dovette attraversare tutta la terrazza, aggirando i gruppi di avventori. Quando infine varcò la soglia della saletta, gli ci volle qualche istante per orientarsi e individuare il tavolino. Lo trovò vuoto.

– Cameriere! – esclamò. Si accorse di avere alzato troppo la voce, e ne provò vergogna. Gli pareva che la curiosità generale si fosse concentrata su di lui.

Subito udì alle sue spalle un mormorio discreto. – Signore?

Si voltò confuso. Aveva chiamato il cameriere istintivamente, senza neppure riflettere su cosa gli avrebbe detto. – Io cercavo... vorrei sapere... La signora che sedeva laggiù, accanto alla finestra... – Non riuscì a continuare: i camerieri, specie quelli dell'Excelsior, lo avevano sempre intimidito.

L'altro tuttavia si mostrò condiscendente. – È una straniera, frequenta già da qualche tempo il nostro locale. All'inizio veniva accompagnata, ma ormai sono giorni che la vedo sola.

– Una straniera?

– Sì, signore, l'ho capito da come veste. Da queste parti le donne non usano uscire a braccia nude, di pomeriggio. In ogni caso, temo che lei arrivi tardi.

– È uscita?

– Un attimo fa.

– E dove è andata?

– Scusi, signore, come faccio a saperlo?

Walter era imbarazzato. Le sue domande, se ne rendeva conto, erano troppo ingenue, troppo dirette, ma non fu in grado di frenarsi. – Se almeno potesse dirmi il nome...

– Questo è un caffè, signore, non abbiamo l'abitudine di chiedere le generalità ai clienti.

– Lei mi fraintende – si affrettò a rispondere Walter, avendo colto nel suo tono un'austera disapprovazione. – Vede, credo di conoscerla. Credo sia... una mia parente.

– Davvero? Il signore non è di qui?

– Un ramo collaterale, una lontana cugina. L'avevo attesa sul molo, però non ci siamo incontrati.

– Se dovessi rivedere la signora, le dirò senz'altro che suo cugino l'ha cercata –. Aveva fatto una breve pausa, appena avvertibile, prima della parola "cugino", certo per significare che la sua posizione lo obbligava sì a non contraddire i clienti, ma non a prestar fede, nel foro inappellabile della propria coscienza, a qualsiasi fandonia venisse loro in mente di propinargli.

– Non sono sicuro che si tratti davvero di lei, non l'ho veduta in viso. Mi è parso di riconoscere il suo bracciale, un vecchio gioiello di famiglia. L'avrà forse notato.

– Sì, signore, un bracciale d'argento a forma di serpente. Lo porta tutte le sere.

– Eppure potrebbe non essere lo stesso gioiello. Se mi descrivesse la signora...

– È bruna, forse corvina. A quest'ora non c'è molta luce, non saprei dire con esattezza. Giovane. Assai graziosa.

– E il nome?

– Se non sbaglio, il signore che era con lei la chiamava Carmen. "*Ma petite Carmen*", diceva.

"Mia piccola Carmen". Walter immaginò le catene invisibili finire nel pugno di quello sconosciuto. Egli stesso, forse, le aveva messo il bracciale intorno al polso.

– Tornerà, domani?

– Signore, come posso saperlo?

– Ma l'altro, il suo accompagnatore... che aspetto aveva?

– Chissà, non sono mai riuscito a vederlo bene. Sedeva sempre nell'angolo più buio, con il viso in ombra. Sembrava lo facesse di proposito.

– Era straniero anche lui?

– A volte avevo l'impressione di sì, a volte di no. Parlava correttamente la nostra lingua, però capitava che non trovasse una parola, e allora dovevo aiutarlo io a fare l'ordinazione.

– E lei? La signora Carmen?

– Non ho mai udito la sua voce.

Walter si frugò le tasche, diede timidamente una mancia al cameriere e tornò al tavolino. L'indomani, pensò, non avrebbe indugiato tanto: appena il braccio fosse comparso sarebbe entrato, si sarebbe avvicinato a Carmen, le avrebbe parlato. Non sapeva cosa le avrebbe detto, e poteva anche darsi che la donna non comprendesse la sua lingua, ma in un modo o nell'altro, ne era certo, sarebbero riusciti a intendersi.

Provava una grande eccitazione che lo dominò per tutta la serata, anche quando, all'ora stabilita, si trovò a bordo della chiatta; navigava come un sonnambulo sull'acqua scura e non vedeva nulla di quanto lo circondava.

Il giorno dopo il braccio non comparve sul verde della tovaglia.

Walter attese a lungo. Di tanto in tanto qualche cliente occupava il posto che era di Carmen, e lui gli rivolgeva occhiate ostili.

Talvolta era una donna a sedere a quel tavolino. Il giovane trasaliva vedendola avvicinarsi e ne scrutava il volto e la figura, spinto dalla fede irrazionale di poter riconoscere Carmen all'istante, senza il minimo dubbio, se si fosse presentata. Ma non ne riconosceva nessuna, e deluso distoglieva lo sguardo dalle maniche dei loro vestiti che giungevano al gomito o scendevano addirittura a nascondere il polso.

Così fu quella sera al caffè dell'Excelsior, e così la sera dopo e quelle successive. Le donne entravano e uscivano, poggiavano sul tavolino le braccia coperte, e Walter guardava e attendeva. Gioielli scintillavano qua e là nella luce discreta della sala, bracciali di tutte le fogge; li osservava, sperando sempre di ravvisare la forma del serpente. Chiunque fra gli avventori poteva essere lo sconosciuto che aveva accompagnato Carmen, l'uomo dal viso in ombra, e se a volte uno di loro fissava con impazienza l'ingresso Walter credeva dovesse incontrarsi con lei, e guardava l'ora per misurare il suo ritardo a quell'ipotetico appuntamento.

Ormai andava all'Excelsior non più, come in passato, per ammirare il tramonto, e neppure per vedere Carmen, ma solo per attenderla.

Da quando aspettava Carmen la compagnia degli amici gli riusciva assai sgradita, tuttavia se li trovava al caffè non poteva evitare di sedere con loro. Stavano sulla terrazza, al solito posto, e lui continuava a spiare l'interno.

Gli amici di Walter erano due e si chiamavano anch'essi Walter. Li aveva conosciuti al liceo, prima che la morte del padre e il conseguente dissesto finanziario lo costringessero ad abbandonare gli studi e ad accettare quell'impiego di pilota così inferiore alle sue ambizioni. Perciò gli dispiaceva un poco che glielo ricordassero chiamandolo "il nocchiero". Ben altro aveva sperato negli anni della fanciullezza, quando non conosceva quasi la zona del porto e nulla sapeva di navi e di traffici mercantili. Ma il destino, si diceva, aveva voluto diversamente, e ormai per tutta la vita sarebbe rimasto il dipendente della Compagnia, l'esecutore di una mansione umile e oscura. Per tutta la vita avrebbe navigato di notte, dormito di giorno, e la sera si sarebbe incontrato al caffè con gli altri due Walter, lo scienziato e il mago, appartenenti a una cerchia sociale superiore, ma fedeli all'antico cameratismo.

Per questo forse nobilitavano la sua occupazione con il termine di nocchiero, non senza ironia, alludendo alla mitica creatura che traghettava le anime dei trapassati sulle acque stigie: la lugubre immagine presentava davvero una certa affinità con quella del pilota che conduceva alla Villa la chiatta dal carico invisibile.

Le affinità significavano poco per Walter lo scienziato, studente di fisica all'università del capoluogo, e neppure le immagini mitiche sembravano avere grande potere sulla sua mente, permeata di uno strenuo scetticismo, di una disillusione alla quale la giovinezza prestava ancora tutto l'ardore della fede. Grande potere e profondo significato avevano invece per Walter il mago, cultore di speculazioni teosofiche e accanito decifratore di simboli.

Lui li ascoltava entrambi, non sapendo a chi credere, ma a entrambi taceva il nome, la visione venuta ad annidarsi nei suoi pensieri. L'istinto gli comandava di nasconderla, perché lo scienziato non la scomponesse in un gioco di sensazioni che rimandavano solo a se stesse o a una verità inconoscibile, e il mago non ne dissolvesse l'incanto in quel suo Tutto così nebuloso dove ogni cosa si confondeva con ogni altra. Si teneva stretto, il nocchiero, alla memoria di quel sogno appena intravisto, come la notte, sul fiume, stringeva la ruota del timone. Navigava veloce, udendo solo il rombo assordante del motore che faceva vibrare le assi del ponte e animava di un tremito leggero i vetri del castelletto di poppa. Navigava senza guardare i villaggi schierati sulla riva a destra e a sinistra, le case con le imposte chiuse, con gli usci serrati,

17

e gli alberi che si protendevano sull'acqua curvati dal vento.

Era lo stesso paesaggio che contemplava dalla terrazza dell'Excelsior, eppure non era lo stesso. Non lo era perché lui non si trovava qui per contemplare, libero da legami: il filo della necessità lo trascinava sul fiume a compiere la sua mansione, come trascinava gli uomini incolori che lavoravano nel porto.

Quando fermava la chiatta di fronte all'Isola Walter vedeva il parco secolare che la ricopriva, vedeva l'edificio in rovina dalle finestre murate che ancora lasciava indovinare l'antico splendore, ma tutto questo scorreva indifferente davanti al suo sguardo e lui pensava soltanto: "ecco la Villa. Sono arrivato alla meta".

Teneva il motore acceso e non usciva dal cassero finché non scorgeva la seconda chiatta avvicinarsi. Veniva dall'Isola, da qualche approdo nascosto, e accostava alla sua imbarcazione. Walter doveva attendere che un equipaggio di tre uomini prendesse in consegna la chiatta con il carico e gli affidasse l'altra, vuota, da riportare indietro. Non avrebbe potuto attraccare, per compiere una manovra del genere gli sarebbero occorsi marinai. Invece doveva condurre la chiatta da solo, tutte le notti, dal porto all'Isola, svolgere da solo il lavoro di più uomini; ma non se ne lamentava, poiché la Compagnia lo retribuiva con uno stipendio superiore a quello degli altri piloti.

Il cameriere che serviva al tavolo di Walter era lo stesso cui aveva domandato notizie della donna con il bracciale, e ogni sera il giovane tornava a chiedergli di lei.

– Non so, signore, non l'ho più vista.

Quella riservatezza lo indisponeva. Talvolta andava al caffè più presto del solito, in un'ora morta, e aspettava che il cameriere entrasse nella sala quasi deserta. Allora lo tratteneva, lo interrogava su Carmen, sul suo aspetto, sulle sue abitudini, ma l'altro rispondeva laconicamente e appena poteva lo abbandonava per sbrigare le proprie faccende. Tuttavia quell'uomo in giacca bianca era per Walter l'unico legame, sebbene remoto, con Carmen e con il mondo esotico al quale supponeva appartenesse.

Il pensiero di lei gli occupava la mente in modo ossessivo, ma l'immagine rimaneva confusa. Non si sapeva se fosse corvina o se la sua chioma non avesse piuttosto una tinta bruna e fiammeggiante, venata di riflessi color del rame; non era chiaro se la sera fosse solita bere un liquore o preferisse quei vini frizzanti che meglio si addicono, per la loro leggerezza, a una costituzione delicata. La memoria del cameriere, consultata su siffatti particolari, opponeva una resistenza torpida: ben si comprendeva come non avessero per lui la minima importanza. Quello di Walter doveva apparirgli il passatempo di uno sfaccendato o, ed è lo stesso, di uno che per avere qualcosa da fare deve attendere le due dopo mezzanotte; l'esistenza bizzarra del giovane rendeva spiegabile la bizzarria del suo contegno.

Ma egli compensava le avare informazioni che gli venivano dal cameriere con mance assai generose e di conseguenza questi diventò più servizievole, mosso sia dalla riconoscenza per quanto aveva ricevuto, sia dalla speranza di ricevere ancora se avesse continuato a secondare lo strano capriccio del cliente.

Da dirgli, però, non aveva nulla: la signora non era più venuta e la scarsa immaginazione di cui era dotato gli consentiva di ricamare in misura modesta sui pochi, appannati ricordi che ne serbava. Poteva solo dimostrare a Walter la propria solidarietà e a tal fine, passandogli accanto, gli lanciava sguardi lunghi e dolenti, scuoteva il capo con tristezza, e talora proferiva a bassa voce: – Ancora niente, signore. Nessuna notizia della signora Carmen –. Lo diceva in un tono a metà interrogativo, come se lui, e non l'altro, fosse ansioso di avere tali notizie.

Il giovane accoglieva con indifferenza quelle manifestazioni di simpatia. Si limitava a scuotere il capo a sua volta e andandosene lasciava qualche moneta sul tavolino, accanto al portacenere.

Una sera soltanto il cameriere non ebbe ricompensa, e fu quando effettuò la sua patetica esibizione mentre Walter sedeva in compagnia degli amici.

– Carmen? – chiese lo scienziato, la cui curiosità era sempre rapida ad accendersi. – E chi è?

– Nessuno.

– Impossibile, mio caro, assolutamente impossibile. Se tu avessi studiato logica sapresti che di nessuno non si può predicare niente. Perché non se ne abbiano notizie, questa Carmen deve perlomeno esistere.

– Ciò che esiste secondo i tuoi criteri ristretti – fece il mago in tono sprezzante, – non esaurisce la pienezza dell'essere. Vi son più cose fra cielo e terra...

– Lo senti? Sarebbe così felice di apprendere che Carmen è in realtà un fantasma! Ma tu non credi nei fantasmi, vero, Walter?

– È una donna. O almeno...

– Sì?

– Un braccio di donna.

Lo scienziato scoppiò a ridere. – Signore Iddio, oggi sono capitato in una gabbia di matti. Un braccio di donna chiamato Carmen?

Walter avrebbe desiderato che la conversazione si spostasse su un altro oggetto, che i due scegliessero un diverso pretesto per la loro disputa. Si trascinava da anni, e adesso gli appariva inutile e terribilmente noiosa. Tuttavia dovette rispondere. – Una donna chiamata Carmen – spiegò riluttante, – della quale conosco soltanto un braccio.

– Ah, bene. Così la faccenda assume un aspetto più

ragionevole. Poiché tu, se non ho mal compreso, hai effettivamente veduto il braccio, se ne può concludere con un alto grado di verosimiglianza che vi fosse attaccata una donna. E nulla vieta a una donna di chiamarsi Carmen, se così è piaciuto ai genitori.

Walter il mago emise un profondo sospiro. – Come tutto si immiserisce, alla luce della tua ragionevolezza. Un braccio, in fondo, non è altro che un braccio.

– Su questo siamo pienamente d'accordo.

– E dunque è stato il braccio, con tutto ciò che può rappresentare, a turbare la fantasia del nocchiero. Perché, a giudicare dalla sua espressione, mi pare proprio turbato.

– Ah, sì, non c'è dubbio.

Walter sentì una vampata di calore affluirgli alle guance. Abbozzò a fatica un cenno di diniego, ma essi non vi badarono.

– Il fatto poi – riprese il mago, – che a questo braccio fosse attaccata una donna... Sia detto fra parentesi, non potevi scegliere un'espressione più orribile...

– Non divagare. Il divagare, caro amico, è spesso indizio di idee confuse.

– Le mie idee sono chiarissime.

– Di una torbida chiarezza, se mi concedi l'ossimoro.

– Insomma, non fai che interrompermi e poi mi accusi di divagare.

– Se ordinassimo ancora da bere? – azzardò Walter, sperando che Carmen e il braccio sfuggissero infine alla loro implacabile attenzione.

Il mago lo zittì con un gesto. – Stavo dicendo – articolò lentamente, come se enunciasse un teorema, – il fatto che a quel braccio, per usare la tua infelice espressione, fosse attaccata una donna, è del tutto secondario.

– In un certo senso hai ragione – ammise lo scienziato. – La sensazione è il braccio, e il braccio soltanto. La donna non è che un'aggiunta successiva del pensiero, dettata dall'abitudine. Cameriere! Walter, vedi un po' se ti riesce di convincerlo ad avvicinarsi.

– Io intendevo un'altra cosa, parlavo di corrispondenze più segrete, più remote... Ma tu sei troppo limitato per capirmi.

– Limitatissimo, lo riconosco. Nei limiti della pura ragione.

– In ogni caso, a me non interessa tanto il braccio, e neppure la donna, ma il motivo per il quale Walter ne è rimasto colpito.

– Ah, ottimamente. Il braccio è solo un pretesto, l'occasione specifica attraverso cui il nostro amico può dar sfogo a un impulso generico, di natura fisiologica. Cameriere!

– Nossignore, nossignore. Il braccio è il particolare attraverso cui l'Universale gli si è rivelato.

Walter avrebbe voluto spiegare che a interessarlo non era l'Universale, né tantomeno l'impulso generico, ma proprio quel braccio, proprio quella donna. I due tentavano di fagocitare negli ingranaggi egualmente astratti delle loro opposte teorie l'unicità dell'immagine fuggevole che gli era apparsa, e alla quale seguitava a tenersi aggrappato come alla sola realtà indubitabile.

– Che si chiami Carmen, poi, non ha nessuna importanza.

– Nessunissima.

E come, altrimenti, si sarebbe potuta chiamare? Walter sentiva che il fascino esercitato su di lui dalla sconosciuta era ormai inseparabile dal suono di quel nome. L'inanellarsi delle consonanti e delle vocali che lo componevano gli pareva tracciasse nell'aria, se pronunciato, un disegno del tutto identico alle spire del bracciale d'argento. Era in quei suoni la stessa sfumatura crudele, la stessa asprezza che per vie misteriose si convertiva in un presagio di felicità. "Carmen", con la sua prima sillaba brusca, accentata, era come il colpo secco di uno staffile, di un cancello quando si chiude, ma intorno alla seconda sillaba fluttuava qualcosa di libero e di indefinito che aveva l'ampiezza dell'orizzonte.

Tentò di farlo capire agli amici.

– Bravo! – esultò il mago. – È precisamente la *coincidentia oppositorum*. Devo ricredermi, Walter, in questo caso proprio il nome ha un'importanza fondamentale: in esso ti si è svelata la fusione dei contrari, la più reconditat essenza dell'universo.

– Macché – borbottava l'altro sconsolato. – Semplici accidenti, proprietà fonetiche... I nomi non contano, sono segnaposti per indicare cose che in realtà non conosciamo.

– Ma possiamo intuirle, appunto, attraverso l'aura magica dei loro nomi. Certo, questo è soltanto il primo gradino della vera Scienza, e presto te ne accorgerai anche tu. Allora il nome di Carmen non sarà più nulla ai tuoi occhi, se non la prima delle sette porte che conducono al santuario.

– Senti, senti – disse lo scienziato. – In considerazione della nostra amicizia voglio essere generoso, quindi non ti chiederò di precisare cosa sia mai questo santuario di cui parli. Ma degnati almeno di spiegarci perché dovrebbe avere proprio sette porte, e non otto, o magari dieci.

– Credevo sapessi, mio caro, che già nei più antichi misteri il numero sette...

Walter rifletteva per suo conto. Se il nome di Carmen era la prima porta, Carmen stessa doveva essere il santuario.

– Ogni cosa finita – stava dicendo il mago, – non è che un'orma sull'eterno cammino dell'infinito.

Quella notte cadeva una pioggia fitta e Walter per ripararsi entrò negli uffici della Compagnia. Di là, dalla finestra della sala d'attesa, poteva sorvegliare il molo e accorgersi per tempo dell'arrivo della lancia che lo avrebbe trasportato fuori del porto, dove lo aspettava già carica la lunga chiatta.

Una panca di legno a forma di elle, coperta di cuscini variopinti, percorreva due pareti della stanza. Su un tavolino, al centro, stavano alcune riviste disposte in pile ordinate. Pareva non le avesse mai sfogliate nessuno, e anche il portacenere era lustro, senza un mozzicone. Walter sapeva quale organizzazione gigantesca fosse la Compagnia, quanti uomini ne dipendessero in tutto il paese, eppure quando si trovava nella saletta aveva l'impressione che le sue rare visite fossero l'unica presenza umana da essa conosciuta, e che ogni cosa là dentro fosse stata sistemata al solo scopo di servire a lui in quelle soste.

Il capitano da cui prendeva ordini non vi entrava mai. Si poteva udire la sua tosse di vecchio fumatore provenire di tanto in tanto dall'ufficio attiguo, attraverso la porta. Ogni volta, appena giunto, Walter bussava e socchiudeva l'uscio per salutarlo.

Era un ometto rotondo, bonario, che lo chiamava "giovanotto" e al minimo pretesto gli batteva rudi manate sulla spalla. La figura del vecchio infastidiva Walter, perché non aveva niente in comune con quella che a parer suo doveva essere la figura di un capitano, elegante, inaccessibile: i capitani fumavano, è vero, fumavano la pipa sui ponti delle navi o nelle sale dell'Excelsior, sbuffando nell'aria ovattata piccole nubi a forma di anello, ma tale inveterata abitudine non si traduceva come nel vecchio in una tosse continua, da sanatorio, e le loro dita abbronzate dal sole non erano certo macchiate di nicotina e d'inchiostro.

Walter si era chiesto spesso se il capitano avesse mai navigato, se avesse mai indossato l'uniforme. Adesso svolgeva un lavoro d'ufficio, perennemente seduto alla scrivania, e vestiva in borghese, per giunta in modo chiassoso. Le cravatte, poi, erano un delirio di colori vivaci accostati senza gusto. Al giovane riusciva difficile vedere in lui il rappresentante di quella Compagnia il cui nome ispirava ad ognuno il più profondo rispetto e che il governo stesso aveva accolto sotto il suo patronato. Lavorare per la Compagnia era cosa bella e onorevole. Lavorare per il vecchio capitano gli sembrava una degradazione.

Tuttavia compì come sempre il proprio dovere: bussò, infilò la testa nell'ufficio e salutò con deferenza il superiore.

– Ah, giovanotto – fece questi, sollevando gli occhi dalle carte che stava esaminando, – come andiamo?

– Bene, signore, la ringrazio.

– Ha visto, questa notte piove che Dio la manda.

– L'ho notato, signore.

– Non sarà piacevole per lei navigare con un tempo simile.

– No, signore.

– La compiango, mi creda. Quasi mi sento colpevole a starmene qui al calduccio, vicino alla stufa, mentre lei... Ma che vuol farci, sono i privilegi dell'età.

Walter lo ascoltava serbando un contegno rispettoso, ma intanto teneva lo sguardo puntato sulla finestra.

– Mi perdoni, signore – disse a un tratto, – credo sia arrivata la lancia.

Il vecchio inforcò gli occhiali e scrutò faticosamente nelle tenebre in direzione del molo. – Ha proprio ragione, non me n'ero accorto. Ah, che bella cosa la vista dei vent'anni! Bene, allora la lascio andare. Ma si ricordi: mia moglie e io l'aspettiamo sempre a pranzo, una domenica.

– Con il massimo piacere, appena mi sarà possibile – rispose Walter evasivo. Salutò in fretta il capitano, uscì dall'ufficio e si avviò verso il molo di corsa, per non bagnarsi troppo.

Poiché la lancia raggiungeva la chiatta in cinque minuti, l'uomo che la guidava e con il quale compiva ogni notte quel tragitto era rimasto un perfetto estraneo. Si dicevano "buonasera" quando il giovane saliva a bordo del piccolo scafo e di nuovo "buonasera" quando sbarcava. Walter ignorava se il marinaio conoscesse altre parole: lo scienziato avrebbe detto che si trattava di una conclusione ragionevolmente probabile.

Gli fece piacere trovarsi infine solo sulla chiatta. Il motore, come sempre, era già acceso. Portò la leva del comando sulla posizione di marcia in avanti, quindi afferrò il timone.

Il denso vapore prodotto dalla pioggia accoglieva la luce lunare diluendo il nero della notte in un grigio fosforescente. L'acqua che scendeva dal cielo si confondeva con quella del fiume, e a Walter pareva di essere avvolto in una coltre di umidità. I contorni delle rive erano talmente sfumati che doveva affidarsi agli strumenti di bordo per potersi orientare. Tutto, all'intorno, sembrava avesse cessato di esistere, le case, i villaggi, le colline, ogni cosa sembrava fosse stata cancellata per sopravvivere soltanto come segno di riferimento su una carta nautica.

In quella notte l'unica realtà che Walter poté percepire fu la luce dei fari dell'altra chiatta: gli si parò davanti improvvisa dopo un tempo che non avrebbe saputo calcolare.

Si fermò e la osservò farsi sempre più vicina. Solo quando ebbe accostato distinse la forma dell'imbarcazione e lasciò il cassero. La luce gialla illuminava la superficie del ponte, dove si apriva un largo boccaporto chiuso con una grata.

"Avranno freddo," pensò. Forse si lamentavano, ma il rombo del motore soffocava ogni altro suono.

Gli uomini del secondo equipaggio erano già a bordo. Si salutarono brevemente, poi il nocchiero salì sulla chiatta vuota e prese la via del ritorno.

Sedeva sulla terrazza del caffè, al solito posto, quando vide attraverso i vetri il braccio nudo con il gioiello d'argento.

Si alzò di scatto e si precipitò nella sala. Al tavolino stava una giovane donna dai lineamenti delicati. Indossava un abito scuro che nonostante l'assenza di maniche, aveva nella foggia qualcosa di severo, ed era chiuso alla gola da un nastrino di velluto. I capelli non gli parvero né corvini né bruno-rossastri: erano molto più chiari, e scendevano ai lati del viso in bande opache. Avvicinandosi concluse che la loro tinta era un castano sconfinante nel biondo.

Si fermò dubbioso. Guardava il volto minuto, inespressivo, il colore spento della chioma, e non riusciva a credere che quella donna fosse Carmen. La fede ingenua di poter riconoscerla senza incertezze lo abbandonò all'improvviso, lasciandolo in uno stato di assoluto smarrimento.

Decise di rivolgersi al cameriere cui tutti i giorni soleva domandare notizie della sconosciuta: questi avrebbe saputo se era davvero la stessa. Ma l'uomo non si trovava, né all'interno né sulla terrazza. Dopo qualche minuto di inutili ricerche Walter chiese di lui a un collega.

– Sì, signore, ho capito di chi si tratta. È partito giusto stamane.

– Partito?

– Tornato al paese, signore.

– In permesso?

– No, signore, si è licenziato. Risparmiando, raccogliendo mance, ha accumulato una piccola somma e

27

vuole aprire un locale in proprio. Su un piano più modesto, naturalmente, nulla a che fare con l'Excelsior.

Il giovane non lo ascoltava. Era stizzito, soprattutto dall'idea di aver contribuito lui stesso a rendere possibile l'imprevista defezione.

– Tuttavia ho veduto i progetti – stava dicendo l'altro, – e sono convinto che ne verrà fuori un ritrovo piuttosto accogliente. Se capitasse nella zona...

Walter lo interruppe. – Conosce quella signora? – chiese, accennando discretamente con il capo verso la donna.

Il cameriere la osservò altrettanto discretamente. – No – rispose infine. – Non mi pare di averla mai vista.

– Dunque è la prima volta che viene?

– Non potrei dirlo, io non servo in questo settore.

– E chi ci serve?

– Il ragazzo biondo laggiù. Da oggi sostituisce il mio collega, quello che è partito. Ma è stato appena assunto, temo non possa esserle d'aiuto.

Walter, scoraggiato, congedò il cameriere.

Nel frattempo la stanza si era fatta buia, ma la donna al tavolino non aveva ancora acceso l'abat-jour. La luce del tramonto sfiorava i suoi capelli che ora apparivano scuri, come se sulla testa le si fosse addensata una nuvola nera, lampeggiante di riflessi cremisi. Allora egli non ebbe più dubbi e a passi decisi si diresse verso Carmen.

Ma quando le fu dinanzi seppe trovare soltanto le parole delle quali ci si serve comunemente per attaccar discorso con un'estranea.

– Mi perdoni – disse, imbarazzato dalla banalità della frase che stava pronunciando, – se non sbaglio ho già avuto il piacere di incontrarla.

– Non credo – rispose lei con voce nitida, senza traccia di accento.

Così dunque doveva svolgersi il suo primo colloquio

con Carmen, quel colloquio su cui tanto aveva fantasticato immaginando di trovare per lei un linguaggio nuovo, in grado di esprimere il legame indefinibile che li univa.

– Forse no, forse non ci siamo mai incontrati. Eppure... Permette che mi sieda?

Non attese risposta, ma sedette di fronte a lei.

– Frequenta da molto l'Excelsior?

– Non da molto – disse la giovane senza guardarlo.

Vi fu una pausa.

– Il panorama è magnifico. Non trova anche lei, signorina?

– Sì, magnifico –. Pronunciò queste parole con totale indifferenza.

– È ammirevole – disse Walter. – Parla benissimo la nostra lingua.

– Naturalmente. Non vedo cosa ci sia di ammirevole.

Walter accese l'abat-jour. Sembrava che la luce la infastidisse, ma non protestò: si limitò a mutare quasi impercettibilmente posizione, mentre lui la esaminava perplesso. Vedeva di nuovo davanti a sé un volto inespressivo, una chioma opaca.

– Deve avermi scambiata per un'altra.

Il sospetto di essersi ingannato si era riaffacciato con forza alla mente di Walter. – No, non dica questo – rispose in fretta, come se il dubbio fosse uno spirito maligno e le parole formule magiche capaci di esorcizzarlo. – Anzi, se ho osato importunarla è proprio perché l'ho riconosciuta, perché so chi è lei.

– Davvero? E chi sono?

Walter posò lo sguardo sul bracciale d'argento e rimase un poco a osservarlo. Quando tornò a guardarla in viso si accorse che le sue labbra, ben disegnate, di un rosa pallido, erano atteggiate a un sorriso ironico.

– Vede, Carmen... Lei permette che la chiami così?

– Come vuole. Ma il mio nome è Linda.

– Linda?

– Sembra sorpreso.

– No, perché dovrei esserlo? Soltanto... Linda non è un nome di queste parti.

– Neppure Carmen.

– Lei è dunque straniera?

– Solo da parte di madre.

Walter era sconcertato, leggermente deluso. Fissava gli occhi nocciola della donna, il loro sguardo pigro, velato, e gli pareva di trovarsi di fronte a una versione addomesticata del proprio sogno.

Non trovando più niente da dire, stimò suo dovere chiedere se poteva offrirle qualcosa da bere. Era certo che avrebbe rifiutato.

– Sì, grazie – rispose invece con noncuranza. – Una coppa di spumante.

Linda era una ragazza graziosa, di indole buona e remissiva, e Walter cominciò a frequentarla. Lei accoglieva le sue attenzioni con cortese apatia.

Si incontravano all'Excelsior, ogni sera, davanti a due coppe di spumante. A volte il giovane le prendeva la mano e si chiedeva se fosse la mano di Carmen, quella stessa che aveva veduto giocherellare con lo stelo del bicchiere seguendo il ritmo di una musica inesistente. Ora ne era sicuro, ora gli pareva del tutto inverosimile: secondo il variare della luce.

Le mani di Linda restavano quasi sempre raccolte in grembo o poggiavano composte sul piano del tavolino, ma talvolta le sollevava verso la coppa e prima di afferrarla disegnava un movimento vago, trattenuto, che accendeva di un'improvvisa speranza l'immaginazione del suo compagno. Sembrava lo tenesse di proposito in quello stato di incertezza, accennando continuamente il gesto di Carmen e tuttavia rifiutando di compierlo.

Dopo la prima sera non aveva più portato l'abito senza maniche né il bracciale d'argento. Parlava poco di sé, e malvolentieri. Walter sapeva soltanto che non aveva parenti da quelle parti ed era in città di passaggio, proveniente da chissà dove, diretta verso una meta imprecisata.

Col tempo giunse alla conclusione che propriamente non fosse nessuno. Tutto in lei mancava di carattere, di qualsiasi sfumatura individuale. Era una maschera bella e inespressiva, dietro la quale traluceva ambigua l'immagine di Carmen.

Quella somiglianza lo legava a Linda, e insieme egli avvertiva il fascino della sua impenetrabilità. Poiché non era nessuno, alla sua persona si potevano appendere, come a un manichino, fantasie di ogni genere. Poiché non era nessuno, in lei avrebbe potuto possedere tutte le donne.

Ma osava appena sfiorarla, tenerle delicatamente la mano inerte mentre con voce malinconica le narrava dell'infanzia, della famiglia ormai distrutta, o vantava quasi fosse opera sua lo splendore del panorama, e Linda ascoltava in silenzio e faceva lievi cenni d'assenso. Non avrebbe saputo dirle le parole che gli salivano alle labbra ogni volta che pensava a Carmen, né stringerla a sé, in qualche vicolo solitario, quando l'accompagnava alla pensione dove alloggiava e le dava educatamente il braccio regolando il passo su quello lento di lei. Non si sarebbe mai arrischiato a proporle di salire nella stanza ammobiliata che aveva in affitto nel quartiere del porto, e neppure provava il desiderio di farlo.

Il loro amore, se così poteva chiamarsi, aveva qualcosa della natura dell'Excelsior, era un gioco misurato, una pantomima, un rituale privo di scopo. E a poco a poco Walter fu conquistato proprio da quell'assenza di scopo, dal silenzio del suo desiderio, come se l'indifferenza reciproca facesse di loro, paradossalmente, una coppia perfetta.

Quando passeggiavano lungo la riva osservava le due immagini disegnarsi nell'acqua quasi sovrapponendosi, l'uomo nell'uniforme azzurra di pilota, la donna sempre elegante con il cappello di paglia, il busto esile, la gonna di seta o di organza vaporosa che si dilatava nello specchio del fiume e sembrava la crinolina di una dama d'altri tempi. Nel riflesso i colori tenui dei suoi abiti diventavano incerti e polverosi. Tutto questo soddisfaceva il senso estetico di Walter, quell'istinto che lo spingeva a ricercare la distanza fra sé e le cose, poiché ogni contatto con esse significava invischiarsi nella rete di una necessità senza bellezza, altrettanto vana, in fondo, ma inconsapevole della sua vanità.

Linda non era nessuno, però non apparteneva al mondo del porto. La mancanza di passioni ne faceva agli occhi di Walter una creatura di rango superiore, e a malapena, quasi controvoglia, egli osava violarne la lontananza con le proprie fantasticherie. Se lo faceva era soltanto per via di Carmen, della sconosciuta che Linda insieme era e non era, simbolo terreno, avrebbe detto il mago, di quella *coincidentia oppositorum* in cui consiste la più recondita essenza dell'universo.

Un giorno, mentre stavano sulla terrazza seduti l'uno di fronte all'altra, Walter udì una voce alle sue spalle.

– I miei rispetti, egregio signor nocchiero.

Si voltò e vide la figura alta e un po' curva dello scienziato. Gli indicò una sedia.

– Grazie, non vorrei disturbare. Sei già in buona compagnia.

– Non disturbi affatto, al contrario – replicò il giovane. Poi si rivolse a Linda: – Le presento Walter, uno dei carissimi amici dei quali le ho parlato.

– E questa bella signorina, se non sbaglio – disse l'altro rimanendo in piedi, – è la famosa Dolores."

– Carmen – lo corresse Walter. – Voglio dire, Linda.

– Linda? Strano, mi pareva di ricordare... Ma dopotutto, che cosa importa? Cosa importano i nomi? Sa, ne discutevamo giusto a questo tavolo, non molto tempo fa. Una di quelle discussioni fra noi Walter.

– Ma sieda, la prego – disse la ragazza.

– È sicura che non disturbo?

– Sicurissima.

– Bene, se proprio insiste –. Si accomodò sulla sedia, sistemando con cura le lunghe gambe in modo da evitare quelle del tavolino.

– A proposito di nomi – disse Linda appena egli ebbe completato l'operazione, – poco fa lei ha chiamato il suo amico "signor nocchiero".

– Sì, è un nomignolo che gli abbiamo affibbiato per scherzo.

– Capisco. E questo nomignolo, immagino sia legato al suo lavoro.

– Evidentemente.

Il giovane era a disagio.

– Pensi, mi accorgo solo adesso che Walter non me ne ha mai detto nulla.

– Davvero?

– Ma non vorrei essere indiscreta con la mia curiosità femminile. Se si tratta di un segreto...

– Non c'è nessun segreto, le assicuro – intervenne Walter, e intanto si chiedeva per quale motivo proprio quell'argomento avesse risvegliato la "curiosità femminile" in una creatura così inaccessibile alle impressioni esterne. – Faccio il pilota, signorina, al servizio della Compagnia.

– Marina mercantile – precisò lo scienziato in tono solenne.

Lei osservò compiaciuta la figura del nocchiero, cui

l'uniforme azzurra conferiva una certa aria di superiorità. – La Compagnia... Sì, ne ho sentito parlare.

– Il suo interesse mi lusinga – disse Walter sforzandosi di nascondere l'imbarazzo. – Ma vede, in realtà non sono un grande navigatore. La mia rotta giunge soltanto fino all'Isola.

– L'Isola?

– Non mi dirà di non aver mai... Ah, ma è naturale, dimenticavo che lei è forestiera.

– Forestiera? – si intromise lo scienziato. – Il suo nome, infatti, mi pareva...

– Solo da parte di madre – disse Linda meccanicamente. – Ma stavamo parlando dell'Isola. Dove si trova?

– Poco lontano – rispose Walter riluttante, – dietro l'ansa del fiume.

Lei percorse il panorama con sguardo scrutatore. – Si vede, da qui?

– No di certo – fece il giovane in un tono brusco del quale fu il primo a sorprendersi. – Come già le ho spiegato, si trova dietro l'ansa del fiume, di là da quelle colline.

– Si può visitarla? C'è qualcosa di interessante?

– Soltanto un vecchio parco abbandonato. E la Villa.

– Che villa?

– Feci anch'io la stessa domanda quando andai alla sede centrale della Compagnia per presentare la mia richiesta di assunzione. La Villa è la Villa, risposero. Punto e basta.

– E avevano perfettamente ragione – commentò lo scienziato. – Una risposta migliore non potevano darla. Correttissima anche dal punto di vista logico.

– Si tratta di un grande edificio dalle finestre murate. In passato credo fosse la residenza di una famiglia nobile del luogo, ma adesso appartiene alla Compagnia. È là che devo condurre il mio carico.

– Quale specie di carico?

– Una specie preziosa, signorina – intervenne lo scienziato. – Oro, incenso e mirra.

Linda sorrise. – Il nostro amico è dunque al servizio del Salvatore?

– Meglio, mia cara, molto meglio. Deve sapere che nella Villa, nascosta dietro le finestre murate, abita una fanciulla bellissima e misteriosa. Per lei il nocchiero trasporta ogni notte il suo carico di meraviglie, e quanto alla ricompensa...

– In effetti – disse Walter, un po' per galanteria e un po' per sviare la conversazione, – da qualche tempo c'è nella mia vita una fanciulla bellissima e misteriosa. Ma non abita alla Villa.

Linda abbassò gli occhi. – È stato molto fortunato a ottenere un impiego del genere.

– Ho dovuto accettarlo, signorina, perché ne avevo assoluto bisogno. Già le ho parlato delle difficoltà finanziarie...

– Non capisco, si direbbe che si rammarichi della sua posizione.

– Vede, Linda, da ragazzo...

– Non avrebbe mai immaginato di entrare a far parte della Compagnia – concluse lei al suo posto, rivolgendogli uno sguardo di tranquilla soddisfazione.

– No, infatti. Non l'avrei mai immaginato.

– Bene – disse lo scienziato. – La signorina sembra piuttosto orgogliosa di avere per amico un personaggio così importante.

– Ne sono onorata. Tuttavia vorrei sapere qualcosa di più della bella fanciulla che vive murata sull'Isola.

Walter era turbato dalla sua ingenua allegria. Lo impensieriva che Linda, ingannata dall'azzurra divisa e dal nome altisonante della Compagnia, gli attribuisse un rango troppo elevato.

Più tardi, rimasto solo con lo scienziato, gli manifestò i propri scrupoli.

– Forse dovrei dirle che guido soltanto una misera chiatta e non trasporto che un carico di bestiame.

– Perché disilluderla? – ribatté l'amico. – Inoltre, a rigor di logica tu non puoi sapere se in quella stiva vi sia davvero bestiame.

– E cos'altro dovrebbe esserci?

– Te l'ho già detto: oro, incenso e mirra.

Walter non avrebbe saputo stabilire con certezza come si sarebbe conclusa una vicenda sentimentale fra lui e Carmen. Fra lui e Linda poteva concludersi solo in un modo, ed egli ne era perfettamente consapevole. Perciò una sera, sulla terrazza dell'Excelsior, si fece portare dal cameriere penna e carta da lettere.

Richiamò alla mente la sua immagine, gli occhi nocciola senza fiamma, i capelli castani, gli abiti discreti, e ne fu rassicurato.

"Linda carissima," incominciò, "certo indovina quale motivo mi induca a scriverLe."

Si fermò, depose la penna. Quell'inizio gli pareva sfrontato: tradiva una sicurezza che sarebbe potuta suonare addirittura offensiva. Appallottolò il foglio e ne prese un altro.

"Linda carissima,
certo non indovina quale motivo mi induca a scriverLe, e tuttavia confido che la sorpresa non Le riuscirà del tutto sgradita. Se mi negherà il Suo consenso, credo almeno, in nome dell'amicizia che ci lega, di poter contare sulla Sua indulgenza e sulla Sua benevola comprensione.

"Oso infatti proporLe di divenire mia moglie. Non sono ricco, ma percepisco uno stipendio abbastanza buono, e come dipendente della Compagnia godo di numerose agevolazioni nonché di un certo prestigio, almeno presso il basso ceto."

Cancellò le ultime parole e fece il punto dopo "un

certo prestigio". "Mi toccherà ricopiare la lettera," pensò.

"Pertanto," aggiunse, "mi sento in grado di garantirLe un avvenire sereno e privo di preoccupazioni materiali.

"Sarei immensamente felice se Lei si degnasse di esaudire la mia preghiera e di unire il Suo al mio destino. Con questa speranza, e nella trepida attesa di una risposta, La saluta il Suo devotissimo..."

Rilesse attentamente quella domanda di matrimonio e ne ebbe un'impressione sgradevole. Gli sembrava un bizzarro incrocio fra il biglietto amoroso e la lettera commerciale; ma, poiché non avrebbe saputo trovare altro modo di rivolgersi a Linda, represse la propria insoddisfazione. Ricopiò la lettera in bella grafia, piegò in quattro il foglio e lo infilò in una busta.

– Cameriere! – chiamò.

– Signore?

– Fra poco dovrebbe arrivare la signorina Linda. Le consegni questa, per favore, e le dica che sarò presto di ritorno.

Lasciò il caffè e si appostò per strada, in un punto da dove, non visto, poteva sorvegliare l'ingresso dell'Excelsior.

Infine la scorse, in un abito svolazzante di colore azzurrino. Camminava adagio, come sempre, quasi non avesse una meta, e i suoi passi parvero condurla per caso dinanzi alla grande porta a vetri. Walter attese qualche minuto, poi entrò a sua volta.

Dalla saletta la vide seduta sulla terrazza, le braccia avvolte nelle ampie maniche, mollemente appoggiate sul marmo del tavolino. Vide il cameriere avvicinarsi e consegnarle la busta. E vide lei che leggeva e un lieve sorriso che le si disegnava sulle labbra.

Quando il giovane uscì sulla terrazza Linda alzò appena lo sguardo e subito tornò a fissare il piano del tavolino dove giaceva la lettera, un lembo sollevato dalla brezza serale. La ripiegò con cura e vi pose sopra il portacenere, perché non volasse via.

Allora Walter le si accostò. – Buonasera.

– Buonasera.

– L'ha letta?

Accennò di sì con un breve moto del capo.

– E dunque? Che cosa ne pensa?

Volse verso di lui un viso quieto, senza emozione. – Siediti – disse. – Da questo momento possiamo darci del tu.

Poco tempo dopo Walter stava aspettando la lancia davanti al molo della Compagnia, quando vide il capitano scendere per il viale. La striscia sgargiante della cravatta gli spiccava sul petto ogni volta che veniva colpito dalla luce di un lampione, e il viso era atteggiato a un'allegria maliziosa.

Giunto accanto a lui lo salutò con la rituale manata sulla spalla. – Allora, giovanotto, a quando il gran giorno?

– Signore?

– Andiamo, andiamo, non mi dirà che si è già scordato del suo fidanzamento. La gioventù, è vero, tende per natura alla spensieratezza, ma anche a questo vi è un limite.

Walter lo fissava stupefatto, chiedendosi come avesse potuto apprendere così in fretta la notizia. L'onniscienza della Compagnia era proverbiale, eppure gli riusciva difficile credere che quel vecchietto scalcinato ne fosse partecipe.

– Non so, signore – rispose. – Appena sarà possibile.

– Appena sarà possibile? Vi sono dunque ostacoli? Ah, questo mi rattrista profondamente: non dovrebbero essercene sulla strada della felicità.

Walter trovava irritante il linguaggio del capitano. La sua visione delle cose, almeno in materia d'amore, pareva tutta filtrata attraverso i biglietti che i fabbricanti di cioccolatini infilano nelle loro confezioni, venendo in soccorso con patetiche formulette ai clienti sprovvisti di immaginazione o troppo pigri per esercitarla. Proprio con mezzi del genere, supponeva, il capitano era riuscito a procurarsi una moglie: doveva trattarsi di una creatura molto stupida oppure molto golosa.

Dalle confidenze di cui il suo superiore tentava spesso di gratificarlo, e alle quali tentava ogni volta di sottrarsi, aveva saputo che si era sposato tardi, con una donna poco più giovane di lui. Quell'unione senile era stata eccezionalmente prolifica, a giudicare dalla molteplicità incalcolabile di nomignoli infantili pronunciati dal capitano ora con orgoglio paterno, ora con paterna indulgenza.

– Avanti, figliolo, mi apra il suo cuore – disse il vecchio in tono carezzevole, quasi avesse deciso di cooptare Walter nella propria sterminata famiglia. – Quali sarebbero gli ostacoli?

– Innanzitutto la casa – rispose lui controvoglia. – Occorre trovare un appartamento adatto, e arredarlo, e purtroppo con il mio stipendio...

– Non è soddisfatto del suo stipendio? Ritiene di non essere compensato adeguatamente?

– No, signore, al contrario. Ma le necessità di una coppia non sono le stesse di un uomo che vive solo.

– Ah, sì – sospirò il capitano, – questa è verità sacrosanta. Anche per noi, i primi tempi, l'esistenza fu difficile, e le donne hanno pretese che lei neppure immaginerebbe. Se ne accorgerà fin troppo presto, non ce n'è una che non esiga di vivere nel lusso. Una casetta semplice, un tetto sulla testa non basta, nossignore: ci vuole il pianoforte, e fiori freschi tutti i giorni, e i lampadari devono essere ad ogni costo di cristallo, con quelle gocce che quando tira vento fanno un baccano indiavolato. Così è la donna, caro giovanotto, sul suo conto non bisogna farsi illusioni. Tuttavia essa ha pure qualche lato piacevole e il matrimonio, in fondo, è una gran bella invenzione.

– Non ne dubito, signore. Appunto per questo desidero prendere moglie.

– Infatti, infatti. Quindi vedremo di aiutarvi a risolre ogni difficoltà, in modo che voialtri abbiate da pensare soltanto all'amore. La Compagnia viene sempre in soccorso dei suoi dipendenti, quando è necessario. Lo stipendio purtroppo non glielo posso aumentare, decisioni del genere spettano alle alte sfere. Dovrebbe inviare una richiesta scritta, ma prima che le rispondano sarà già nonno... Via, non mi faccia il muso lungo: gliel'ho detto, vi aiuteremo. Tanto per cominciare, provvederò io a trovarvi un'abitazione a prezzo ragionevole.

– Davvero?

– Naturalmente. La Compagnia ne possiede diverse nella zona del porto.

– Noi avremmo preferito una villetta sulla collina.

– Caro ragazzo, l'erba voglio cresce forse nel giardino di qualche re, ma certo non crescerà mai nel vostro. E poi anche da queste parti vi sono posticini assai graziosi.

– Io... le sono molto riconoscente.

– Non è il caso. Domani stesso mi informerò e le farò sapere. Dica, piuttosto, quando potremo conoscere la signorina? Mia moglie ci tiene in modo particolare.

E quella domenica, insieme con la fidanzata, Walter andò a pranzo a casa del capitano. Questi aveva alloggiato la famiglia in una villetta appena fuori città, ma incassata fra le colline, tanto che non si vedeva il fiume e per scorgere un lembo di cielo bisognava sporgersi dalle finestre.

Nel giardino sempre in ombra giocava uno stormo di ragazzini. Una matrona dal viso largo e cordiale sedeva nella veranda e li sorvegliava con uno sguardo placido, di un azzurro acquoso. Talvolta lanciava loro un richiamo: – Tu, piccolo, non scavalcare il cancello! – Lasciate in pace le galline! Povere bestie, che vi hanno fatto di male? – Ma i bambini seguitavano imperturbabili le occupazioni proibite e la donna alzava le spalle in un gesto di rassegnazione. – Vede – disse a Linda dopo una presentazione frettolosa, – non c'è verso di farsi obbedire. La vita della madre è una croce, un affanno continuo, se ne accorgerà presto anche lei. D'altra parte, non mi fraintenda: il matrimonio rimane pur sempre una gran bella invenzione.

– Non ne dubito, signora. Appunto per questo ho acconsentito a maritarmi.

– Brava, ha preso una decisione molto saggia. Ma prego, vengano dentro.

Li condusse in un salotto arredato in maniera così confortevole da risultare soffocante. Le mensole e i piani dei mobili erano sovraccarichi di ninnoli e la tappezzeria a fiori accresceva il senso di oppressione. Dal centro del soffitto pendeva il lampadario di cristallo, immobile, poiché nella stretta vallata non tirava un filo di vento.

La casa era pulita, ordinata, eppure Walter vi avvertiva la stessa sciatteria del capitano. Una trasandatezza invincibile che continuava ad affiorare nonostante il giardino ben curato, con le aiuole regolari dall'erba appena tagliata e il roseto carico di fiori. Il contegno affabile della padrona di casa, le guance rotonde dei figli, i loro abiti uguali che li facevano somigliare a tanti soldatini fabbricati in scala, tutto questo agli occhi di Walter era soltanto una mano di vernice stesa per coprire un disordine profondo e inspiegabile. Le galline razzolavano libere fra le rose, i bambini nelle linde divise non obbedivano ai comandi dei genitori, e la donna era ben vestita ma decisamente volgare e nascondeva sotto il trucco un volto già imbolsito dagli anni. Persino il sole sdegnava il grazioso giardino che sembrava supplicarne il tepore, e dirigeva altrove i suoi raggi, oltre la scura barriera delle colline.

Qualcosa dell'atmosfera del porto aveva contaminato quella quiete campestre, qualcosa di non visibile, che aveva però una realtà schiacciante e imperiosa, tale da mutare quanto laggiù si offriva ai sensi in una finzione, in una vuota apparenza.

Durante il pranzo Walter lodò educatamente ciascuno dei piatti troppo elaborati serviti dalla moglie del capitano e cercò di guardare il meno possibile i bambini, cui era concesso di mangiare alla tavola degli adulti benché fossero del tutto ignari di buone maniere. I più piccoli si portavano il cibo alla bocca con le mani e non prestavano alcuna attenzione ai blandi e rari rimproveri mossi loro dalla madre. La preoccupazione principale di costei era ammaestrare Linda circa il modo migliore per governare una casa, e le dispensava fra un boccone e l'altro consigli minuziosi e assolutamente impraticabili. Walter intanto discorreva con il capitano, o piuttosto lasciava che questi discorresse con lui.

Giunti al caffè gli anfitrioni si sentirono autorizzati a una maggiore familiarità, come se l'aver consumato un pasto insieme avesse trasformato quella conoscenza superficiale in una lunga consuetudine. Il capitano non risparmiò neppure a Linda qualche manata sulla spalla, ma soprattutto amava pizzicarle attraverso le maniche la carne delle braccia, quasi a saggiarne la consistenza. La chiamava "bambina" e lei accoglieva allegra i suoi modi confidenziali. Forse, pensò Walter, era addirittura lusingata di essere entrata così presto nelle grazie di un funzionario della Compagnia, o forse lasciava semplicemente fare, si uniformava con la solita docilità all'atmosfera festosa che la circondava.

Congedandosi, i fidanzati promisero al capitano e a

sua moglie che sarebbero presto tornati a trovarli. Quando furono lontani si volsero verso la casa e videro i due, ritti davanti al cancello, agitare la mano in segno d'addio.

Sulla via del ritorno alla mente di Walter continuava a presentarsi l'immagine di quella donna gaia e rotonda in mezzo ai figli radunati a fatica per salutare gli ospiti, simile a una mucca circondata dai vitellini. Si chiedeva se la fanciulla elegante che gli stava a fianco sarebbe diventata così dopo qualche anno di matrimonio, ma questa domanda nascondeva la preoccupazione più antica e più tormentosa che il suo lavoro potesse trasformare lui stesso in una figura come il capitano, una figura la cui presenza sarebbe stata inconcepibile sulla bianca terrazza dell'Excelsior.

Fra gli appartamenti che il capitano offrì loro in affitto per conto della Compagnia, Linda e Walter ne scelsero uno di tre stanze all'ultimo piano di un vecchio edificio in cima a una salita, al confine settentrionale del quartiere del porto. Da alcune finestre si vedevano la vasta insenatura, percorsa dalle strisce lunghe e sottili dei moli, e le banchine con le navi ormeggiate. Osservati di lassù i movimenti degli argani e dei rimorchiatori acquisivano una strana lentezza, quasi che la lontananza, oltre alle dimensioni dei corpi, riducesse la loro velocità. Persino le lance a motore sembravano procedere adagio, e le candide scie nel grigio dell'acqua facevano pensare a segni di gesso tracciati pigramente su una lavagna. Di là dal porto si intravedeva appena la linea serpeggiante del fiume, e le colline, sull'altra riva, si perdevano nella nebulosità dell'orizzonte. Si scorgevano anche il tetto dell'Excelsior e uno dei muri laterali, bianco, dove si aprivano logge e ampie finestre dagli infissi di legno scuro.

Walter aveva scelto l'appartamento proprio per la sua posizione panoramica e Linda, come sempre arrendevole, aveva accondisceso senza discutere al desiderio del fidanzato nonostante i numerosi inconvenienti di quell'alloggio: la scala ripida che bisognava salire per accedervi, le stanze piccole e umide dai soffitti bassi, lo squallore che emanava dall'intero edificio.

Per giungere alla sua abitazione la giovane coppia avrebbe dovuto attraversare un enorme solaio dove le donne della casa stendevano i panni ad asciugare. Alcuni gatti randagi vi avevano preso dimora, ma l'unico segno visibile della loro presenza era il guizzare rapido con cui, udendo il rumore dei passi, si rintanavano in qualche nascondiglio. Così rapido e breve da non consentire di distinguere la figura dell'animale dal suo movimento: se ne aveva una sensazione unica, troppo fugace per poter essere scomposta negli elementi che la costituivano.

Linda amava gli animali e perciò, Walter ne era sicuro, si sarebbe presto abituata ai gatti. Già la vedeva preparare ogni sera un piattino con gli avanzi della cena o una ciotola di latte, lasciarli fuori della porta e poi ritirarsi perché l'ospite potesse consumare il pasto indisturbato.

Questo si addiceva alla sua sensibilità, e anche la compassione era in lei qualcosa di discreto che si intonava con la figura sottile, coi gesti quieti e misurati, con la foggia degli abiti. Era una pietà serena e senza passione, non la induceva a eccessi di fanatismo ma si dispiegava quasi inavvertibile, con la naturalezza del respiro. Così aveva dato rifugio nella stanza della pensione dove alloggiava a un uccello brutto e sgraziato che aveva trovato su un molo con un'ala ferita, e lo nutriva, imboccandolo lei stessa, di mollica di pane bagnata nell'acqua. Mentre compiva la piccola opera di misericordia non manifestava però quell'orgogliosa coscienza della propria bontà che rende a volte insopportabili le persone dal cuore tenero.

Walter sarebbe dunque stato contento se la moglie si fosse occupata dei gatti, ed era persino disposto a ospitare sotto il suo tetto il brutto uccello dall'ala spezzata. Invece gli riusciva intollerabile immaginare Linda arrampicarsi ogni giorno per le scale strette e maltenute o stendere i panni nel solaio insieme con le vicine. Tale pensiero risvegliava in lui la dolorosa consapevolezza che sposandola avrebbe trascinato la ragazza in un mondo molto lontano da quello dove l'aveva conosciuta, lontano dall'Excelsior, dalle sue salette damascate, dalla sua terrazza. Non l'avrebbe trasformata da signorina in una signora, ma nella moglie di un semplice pilota, condannata a vivere in stanze d'affitto e a sbrigare da sola le faccende domestiche.

Tutto ciò gli sembrava un delitto, se non contro Linda, contro l'idea di bellezza da lei rappresentata, e quasi avrebbe voluto rompere la promessa e vederla scomparire come era apparsa, senza che fosse stato lacerato il velo della sua inaccessibilità. Avrebbe voluto poter figurarsela in un'altra città, seduta in un altro caffè, le braccia esili appoggiate sul piano di un tavolino, e così in eterno, tra camerieri in giacca bianca e viaggiatori eleganti.

Pur non confessandolo apertamente a se stesso, sperava sempre che decidesse all'improvviso di lasciarlo, che partisse con il primo battello. Per questa ragione evitava di fissare la data delle nozze, e se Linda timidamente vi accennava cercava di cambiare discorso. Lei appariva rattristata da questa esitazione, ma forse l'attribuiva all'angoscia da cui gli uomini sono talvolta assaliti dinanzi alla prospettiva di stringere un vincolo duraturo. Forse la sopportava perché la tiepidezza dei suoi sentimenti le consentiva una pazienza inesauribile.

Inoltre sapevano entrambi che il meccanismo avvia

to quella sera sulla terrazza dell'Excelsior non si sarebbe arrestato con facilità, soprattutto da quando vi era coinvolta la Compagnia. Essa li guidava, nella persona del capitano, a compiere l'uno dopo l'altro i passi necessari, sicché ogni cosa pareva accadere indipendentemente dalla volontà degli interessati e Walter, senza averlo stabilito, sentiva avvicinarsi il giorno delle nozze.

Da qualche tempo evitava di andare all'Excelsior, poiché quel luogo gli ricordava che tutto aveva avuto origine da un libero atto del suo volere. Preferiva affidarsi agli avvenimenti come a una potenza autonoma e incontrollabile, come ci si affida al fiume quando si spengono i motori e si lascia scivolare la nave da sola, trasportata dalla corrente.

Se poi, nonostante questo atteggiamento remissivo, il meccanismo si fosse inceppato, egli non ne avrebbe avuto colpa, né sarebbe stato costretto a chiedersi se ciò non corrispondesse alle sue speranze.

Ed era grato, molto grato alla Compagnia che provvedeva al buon funzionamento del meccanismo, in modo che lui e Linda potessero raggiungere il loro avvenire comodamente, liberi da responsabilità, come due passeggeri seduti nello scompartimento di un treno. In terza classe, d'accordo, ma pur sempre lontani dalla locomotiva.

Era una notte d'estate, la cupola del firmamento celebrava assurdamente i suoi fasti sopra le prosaiche costruzioni del porto. Seduto sulla solita panchina Walter guardava tutte quelle stelle: aveva l'impressione che fossero capitate per caso su quell'angolo di mondo e desiderassero soltanto lasciarlo al più presto.

Volgendosi verso la terraferma vide il porto quasi deserto. Le luci delle case erano spente, la città si distingueva appena dalla massa oscura della collina. Solo le finestre dell'ufficio della Compagnia erano illuminate, e il lungo viale che dalla piazza dell'Excelsior conduceva alle banchine.

Una figura di donna si disegnò sotto il raggio di un lampione, scomparve nella tenebra, di nuovo comparve sotto il lampione successivo. Quando fu più vicina, riconobbe Linda. L'abito azzurro era lo stesso che indossava il giorno del loro fidanzamento, e sopra, appoggiata come un mantello sulle spalle gracili, portava un'ampia giacca di lana. Con una mano la teneva chiusa sul petto per ripararsi dall'umidità della notte, mentre con l'altra reggeva un cesto di vimini.

Walter si alzò e mosse qualche passo per andarle incontro. – Cara – disse sorpreso appena le fu accanto, – perché sei uscita così tardi?

Lei gli tese il cestino. – Sono venuta a darti questo.

– Che cos'è?

– Frutta. Ho pensato che potresti aver sete, durante il viaggio.

– Sei molto gentile, ma come ti ho già spiegato è un viaggio assai breve: non avrei certo il tempo di patire la sete.

– In ogni caso...

– In ogni caso – ribatté Walter, usando per la prima volta con la fidanzata un tono di autorità che suonò inverosimile alle sue stesse orecchie, – non dovevi assolutamente uscire sola a quest'ora. E venire qui, per giunta. Quella del porto, mia cara, è una zona piuttosto malfamata. Per una donna è rischioso avventurarvisi senza accompagnatore.

Lei assunse un atteggiamento remissivo. – Scusami, caro. Credevo ti avrebbe fatto piacere vedermi.

– Lo sai, vederti mi fa sempre piacere. Ma se deve costituire un pericolo... – E in quel momento pensò che Linda non poteva essere Carmen: per Carmen non avrebbe avuto preoccupazioni del genere. La immaginava percorrere l'intrico delle strade e giungere fino a lui invulnerabile, come protetta da un incantesimo o forse dalla sua stessa natura ambigua. Linda era una signorina elegante che frequentava il caffè dell'Excelsior. Carmen era questo, ma al tempo stesso poteva anche essere una di quelle donne che si incontrano di notte nel quartiere del porto e alle quali non aveva mai osato avvicinarsi, quelle creature sfuggenti pur nella loro accessibilità, la cui carne, esibita attraverso le vesti scollate, era tuttavia velata dall'oscurità dei vicoli. La cappa d'ombra da cui erano avvolte conferiva loro una paradossale nobiltà, perché nobile, agli occhi di Walter, era tutto ciò che non si mostrava chiaramente, che manteneva il riserbo sulla propria essenza più autentica.

Ma anche Linda, pensò, era nobile in questo senso, neppure di lei si sarebbe potuto dire con certezza cosa fosse. All'improvviso fu davvero contento che lo avesse raggiunto e la fece sedere accanto a sé sulla panchina.

– Non succederà più, te lo prometto. Voglio prepararmi sin d'ora a divenire una moglie obbediente.

Walter le sorrise e allungò una mano per prendere il cestino che lei teneva sulle ginocchia. Carmen non sarebbe mai stata una moglie obbediente. Forse nemmeno una moglie.

Rimasero per un poco senza parlare. Linda contemplava il cielo e le colline lontane. – È un panorama stupendo – fece a un tratto. – Non sapevo che la tenebra possedesse una tale varietà di colori.

– Sì, è molto bello. Persino navigare diventa un piacere, in notti come questa.

– Allora portami con te.

La richiesta lo colse di sorpresa. – Sulla nave? Ne sarei felicissimo, ma purtroppo è impossibile.

– Impossibile?

– Vietato.

– Davvero? – disse lei risentita. – Credevo fossi tu il comandante.

Walter non riuscì a trattenere una risata. – Il comandante, mia cara, e anche l'equipaggio. Su quella nave ci sono soltanto io.

Subito si pentì di essersi lasciato sfuggire tali parole, e spiò ansioso il volto di Linda. Manteneva inalterata l'espressione di risentimento: probabilmente era troppo assorbita dal suo proposito per stupirsi, e Walter fu lieto di questa cocciutaggine. L'inevitabile degradazione che presto o tardi avrebbe subito nella stima della moglie era almeno rimandata.

– Se ci sei soltanto tu, non capisco a chi potrebbe dar disturbo la mia presenza.

– Vedi, cara, la Compagnia non mi permette di prendere a bordo passeggeri.

– Per quale motivo?

– Non lo so.

– La Villa è la Villa, punto e basta – mormorò lei cupa. Si strinse nella giacca, come assalita da un freddo improvviso.

– Credimi, Linda, mi dispiace.

– Oh, non importa. Ti ho appena promesso che sarò una moglie obbediente.

– Se ci tieni davvero, proverò a parlarne con il capitano. Per te forse è possibile fare un'eccezione –. Non intendeva affatto condurla a bordo. Sarebbe entrato negli uffici della Compagnia, avrebbe atteso qualche minuto nella saletta vuota, e sarebbe tornato dicendo che la regola era la regola e che non c'era stato modo di persuadere il suo superiore.

Ma lei gli risparmiò questa laboriosa commedia. – Non importa, te lo ripeto: si trattava solo di un capriccio.

Di nuovo tacquero entrambi. Walter si fingeva intento a esaminare la trama del cesto di vimini, Linda fis sava il paesaggio con sguardo assente, come se ora non distinguesse più nulla nell'oscurità che li circondava.

Infine si alzò. – Adesso devo rientrare. Nel cestino troverai quanto ti occorre.

Il giovane la trattenne un istante e le diede un bacio. Linda rispose passandogli distrattamente una mano tra i capelli, quindi si avviò in direzione del viale.

Fatti pochi passi si fermò, e tornò a voltarsi.

– Walter – chiamò.

– Sì?

Rimaneva immobile, senza parlare, stringendosi nella giacca di lana.

– Sì, cara, ti ascolto.

– Ieri, alla pensione, ho sentito dire...

– Che cosa?

– Niente – rispose dopo un nuovo silenzio. – Niente d'importante –. E si allontanò rapida dalla panchina.

Manovrava distratto, senza guardare la volta stellata, né il suo doppio tralucente nell'acqua scura come un bagliore sotterraneo che si facesse strada a fatica verso la superficie.

Forse, si diceva, sarebbe stato meglio disobbedire alla consegna e trovare il coraggio di condurla sulla chiatta. Mostrarle quella modesta imbarcazione, spiegarle magari di quale natura fosse il carico che trasportava. Dopotutto si era ancora in tempo, lei avrebbe potuto ancora rompere la promessa, ma Walter, quasi suo malgrado, continuava ad agire come se ogni cosa fosse già stata decisa in modo irrevocabile.

Ripensava all'ultima frase di Linda, iniziata e non conclusa, e un'inquietudine dimenticata riaffiorava vaga alla sua coscienza; così riaffiorano i pensieri quando nel dormiveglia ci si riscuote a tratti sfuggendo per pochi istanti alla coltre pesante del sonno, e il lavorio della mente è ancora informe e si sottrae alla presa delle parole.

Da tempo ormai aveva cessato di giudicare il suo mestiere, di chiedersi perché fosse toccato proprio a lui il compito di guidare quella chiatta. Ci aveva provato, all'inizio, forse un paio di volte, e percorrendo la catena delle cause e delle coincidenze era giunto alla conclusione che per svolgere un altro lavoro sarebbe dovuto essere un'altra persona, o non essere addirittura. Seguitava dunque a svolgerlo, accettandolo come una sorte non migliore né peggiore di tante, una sorte cui bisognava piegarsi poiché le speranze della prima giovinezza erano definitivamente tramontate. Così seguitava, senza fastidio e senza entusiasmo, e allontanava ogni curiosità superflua con la stessa fermezza con la quale un buon padrone di casa sa mettere alla porta un visitatore inopportuno.

Non voleva saper nulla del carico invisibile che si nascondeva nella stiva. Per non udire le voci degli animali teneva sempre il motore acceso, ed evitava il più possibile di uscire sul ponte.

Così faceva anche adesso, asserragliato nel castelletto di poppa, ma qualcosa lo turbava in quella notte tanto prodiga di stelle, e il suo sguardo, obbedendo a un impulso involontario, tornava sempre a posarsi sulla buia voragine del boccaporto spalancata nel legno levigato del ponte. Si domandò se la grata di ferro che lo copriva fosse aperta o chiusa con una chiave, poi si domandò la ragione di questa domanda. I suoi pensieri continuavano a ruotare intorno a un centro che gli sfuggiva.

Si sentì sollevato quando infine giunse in vista dell'Isola. Fermò la chiatta, ed essendo in anticipo volle occupare il tempo dell'attesa aprendo il cestino che Linda gli aveva portato. Frugando con la mano trovò una grossa mela dalla buccia di un giallo verdastro e al cune pesche screziate di rosso. Estrasse anche un tovagliolo di lino, stirato e piegato con cura, sul quale erano state ricamate le iniziali del suo nome.

Quando arrivarono al fondo, le dita incontrarono qualcosa di freddo e di duro. Vide che si trattava di un coltellino a scatto dal manico d'avorio intarsiato.

Non aveva voglia di frutta e rimise ogni cosa nel cestino, ma il coltello decise di tenerlo. Lo infilò in una tasca dell'uniforme. Di tanto in tanto, mentre aspettava l'altra chiatta, lo prendeva e giocava a farlo scattare, e contemplava la lama sottile che splendeva nel buio.

All'improvviso, quasi senza sapere come, Walter e Linda si trovarono ad aver fissato la data delle nozze per l'ultima domenica di settembre. Bisognava approfittare di quegli estremi resti dell'estate e sperare in una giornata di bel tempo, in modo da poter organizzare, al termine della cerimonia, un piccolo banchetto all'aperto. Così aveva proposto il capitano, e dopo qualche esitazione i fidanzati si erano dichiarati d'accordo.

– Tuttavia – aveva obiettato Linda inizialmente, – rimarrebbero soltanto due settimane, e l'appartamento non è ancora arredato.

– E io, bambina mia, che ci sto a fare? Vi ho già detto di non preoccuparvi di nulla.

– Sì, ma...

– Niente ma. Cancellate la parola "ma" dal vostro vocabolario. La Compagnia è in grado di fornirvi un arredamento completo senza che dobbiate spendere un soldo. Si tratta, è vero, di roba usata, però di gran lusso. Del resto la vedrete, e sono certo che vi piacerà.

Il giorno dopo li condusse in un vasto magazzino dove la Compagnia teneva ammassati vecchi mobili, insieme con varie suppellettili e alcune grandi tele dipinte a olio sulle quali il tempo aveva steso una patina bruna.

– È l'arredamento della Villa – spiegò il capitano. – Abbiamo portato tutto qui, quando si è dovuto sgomberarla.

– Sgomberarla... per fare posto a cosa? – domandò Linda.

– Guardi un po' questa toeletta. Non è magnifica? Pensi, mia cara, su questo sgabello si sono sedute ogni sera generazioni di contesse, e si ammiravano allo specchio mentre la cameriera personale pettinava loro i capelli con cento colpi di spazzola.

Per offrire un'esemplificazione pratica di quanto stava dicendo il vecchio aveva accomodato sullo sgabello la propria figura grassoccia, e sbirciando il cristallo andava descrivendo con le braccia gesti bizzarri che senza dubbio, nelle sue intenzioni, avrebbero dovuto rappresentare i colpi di spazzola.

– È molto bello, ma io non ho la cameriera.

– Che c'entra, si pettinerà da sola. Bisogna però che si decida, perché, vede, anche mia moglie ha messo gli occhi su questa delizia.

– Se è così, gliela lascio di buon grado.

– Ma no, ma no. È lei la sposina novella, dunque ha il diritto di precedenza.

Intanto Walter osservava i mobili dalle dorature scrostate, i grandi specchi, i quadri sulla cui superficie annerita affiorava ancora, qua e là, una madonna, o un gruppo di ninfe, o il volto nobile e arcigno di qualche gentiluomo. Tutto era troppo sontuoso, troppo gigantesco per il loro appartamento, ma l'idea di vivere in mezzo a quegli splendidi relitti lo colmava di una gioia infantile.

Linda al contrario si mostrava perplessa, quasi timorosa, tuttavia, spalleggiato dal capitano, lui riuscì ad avere ragione dei suoi dubbi. La convinse a prendere la toeletta e avvalendosi di una serie di calcoli poco attendibili finì col persuaderla che l'enorme letto dal baldacchino di seta sarebbe entrato, in un modo o nell'altro, nella camera nuziale.

Scelse anche un comò da sistemare di fronte al letto. Sotto il piano di marmo correva un lungo fregio di foglie d'acanto e al centro di ogni cassetto era una bronzea testa di Medusa, con la serratura in luogo della bocca e la chioma serpentina sparsa tutt'intorno sul legno, simmetricamente. Sembrava che quei mostri leggiadri fossero stati messi a guardia del mobile per proteggerne il contenuto da mani e occhi indiscreti.

– Mi domando – disse Linda, – se ci sarà ancora posto per noi, in quella camera.

Walter non l'ascoltava. Sfidando lo sguardo delle Meduse, che per l'assenza di pupille risultava di una cecità inquietante, aveva preso a esplorare i cassetti del comò e aveva trovato una fotografia montata in una cornice d'argento. Vi erano ritratti un uomo e una donna di mezza età, in abiti dalla foggia antiquata, seduti su una panchina circondata da alberi. Con loro era un bambino di sette o otto anni: aveva capelli chiarissimi, che nella foto apparivano bianchi come quelli di un vecchio, e stava in piedi, impettito, accanto alla donna. Guardavano tutti in macchina, fissamente, ma le pose erano improntate a una studiata naturalezza, quasi avessero voluto dare l'impressione di esser stati sorpresi per caso, nell'intimità famigliare, dall'obiettivo del fotografo. Così la donna stringeva fra le sue le mani del bambino e l'uomo teneva il busto girato verso di loro, e si sarebbe detto conversasse del più e del meno con la propria compagna, se la testa non fosse stata rivolta verso l'osservatore.

Tutti e tre avevano occhi dilatati per effetto del lampo al magnesio, e volti inespressivi e severi, come maschere mortuarie o come i personaggi raffigurati sulle tele a olio ai quali l'uomo e il ragazzo rassomigliavano nelle labbra sottili, nel naso aquilino e negli zigomi alti che anche nel bambino già s'indovinavano nonostante la leggera rotondità delle guance tipica dell'infanzia.

La donna invece era scura di capelli, e il suo viso era un morbido ovale dove si spalancavano i lunghi occhi neri abbagliati dal magnesio. Aveva la bocca carnosa e ben disegnata, le mani di una piccolezza quasi mostruosa. Pareva anche lei una bambina, travestita per gioco con gli abiti della madre, a cui qualche trucco fotografico avesse prestato una statura superiore a quella reale.

Gli altri si erano avvicinati e guardavano da dietro le spalle di Walter il gruppo di famiglia.

– Il conte, la contessa... probabilmente uno dei figli – disse il capitano premendo il grosso indice, a turno, sulle tre figure. – Tutti morti, per quanto mi risulta. Se osservate bene potrete scorgere anche un particolare della Villa: a sinistra sullo sfondo. La fotografia, evidentemente, è stata scattata nel parco.

– La lasceremo qui – disse Linda.

– No, prendiamola: l'appenderemo in camera da letto.

– Ma Walter, non ne vedo il motivo. Sono estranei.

– Però c'è qualcosa in loro... che mi piace. Nel bambino, e soprattutto nella donna. Potrebbe essere mia madre.

– Ne dubito – fece il capitano ridacchiando. – O forse d'ora innanzi dovremo chiamarla signor conte, e toglierci il cappello davanti a lei? Non c'è che dire, la nostra Linda ha trovato un ottimo partito.

– Io intendevo semplicemente... – cominciò Walter confuso. Ma si interruppe, poiché non avrebbe saputo spiegare cosa intendesse e per quale motivo la vecchia fotografia esercitasse su di lui un'attrazione tanto forte. Sua madre non somigliava certo alla contessa, non possedeva quella grazia maestosa, né egli le aveva mai visto indosso un abito di tale classe. E neppure poteva trovare qualche affinità tra la figura eretta del bambino, da cui traspariva un'innata coscienza del proprio rango, e il ricordo nebuloso di se stesso a quell'età. Ma gli pareva che il ritratto, esposto nella nuova casa, sarebbe stato un potente talismano contro le ristrettezze del suo passato e quelle del suo presente, e che guardandolo si sarebbe sentito ogni volta, come adesso, sollevato in una sfera diversa, di nobiltà e di composta eleganza.

Perciò ripose la fotografia nel cassetto, riconsegnandola per il momento alla custodia della Medusa, ma sicuro di riuscire col tempo a vincere la resistenza di Linda e ad appenderla a una parete.

Infine venne il giorno stabilito. Era stata scelta una piccola chiesa fuori mano, sulla collina, che offriva l'innegabile vantaggio di essere vicina a una trattoria dove si preparavano pranzi nuziali in cambio di una modica cifra. Walter naturalmente avrebbe preferito una colazione all'Excelsior, e Linda era dello stesso parere, ma a entrambi era parsa inaccettabile l'idea di entrare là dentro in compagnia del capitano e della sua famiglia. Così, una volta di più, avevano rimesso ogni cosa nelle mani del vecchio, il quale si era accordato innanzitutto con il padrone della trattoria e successivamente con il parroco.

Walter giunse per primo, scortato dal mago e dallo scienziato, e i tre amici attesero a lungo sul sagrato della chiesa. Dopo varie discussioni era stato affidato al mago il compito di fare da testimone per lo sposo. Poiché l'altro si professava ateo e miscredente, Walter aveva supposto che non attribuisse importanza alla cerimonia e che dunque non si sarebbe risentito se la scelta non fosse caduta su di lui.

Ma quella mattina i suoi occhi lanciavano all'intorno sguardi corrucciati, mentre quelli del mago splendevano di soddisfazione. Forse per meglio manifestarla, respirava profondamente l'aria frizzante della campagna dilatando le narici, alzando e abbassando ritmicamente l'ampio torace.

– Dio – disse a un tratto in tono estatico, – è ovunque e in ogni luogo, anche in questa chiesetta sperduta.

– Dio? – fece brusco lo scienziato. – E da quando in qua mi sei diventato teista?

– *Deus sive natura*, caro amico. *Natura sive deus* –. Aveva pronunciato quella formula con l'aria di condiscendenza di chi acconsenta a divulgare la propria sapienza più esoterica, e intanto pareva compiacersi del vento che gli arruffava la lunga chioma ondulata. Si era lasciato crescere i capelli, dopo aver abbandonato gli studi all'università per intraprendere la sua solitaria ricerca, forse allo scopo di attenuare con quella stravaganza l'impressione di desolante normalità suscitata dai lineamenti. Ma sembrava soltanto un giovane borghese che indossasse una parrucca a una festa di carnevale.

– *Natura sive deus* – ripeté sprezzante lo scienziato. – Questo vezzo di prendere il mondo così com'è, pari pari, e di appioppargli il nome di Dio, mi è sempre parso un giochetto di parole, e neppure tanto intelligente. Buono per gli atei cui manchi il coraggio di confessarsi tali.

Il mago finse di non accorgersi del contegno aggressivo dell'amico, però lo fece in modo da rendere il più possibile evidente che l'aveva bensì notato, e che fingeva di non accorgersene per uno speciale riguardo verso lo sposo.

– Il sentimento del sacro – disse – non coincide affatto con la fede in un dio personale. E così il vincolo che i nostri amici stanno per stringere è cosa sacra non già perché stipulato di fronte a un parroco, ma perché il loro stesso amore, ossia la forza eternamente generatrice della Natura, consacra la loro unione e la benedice.

A Walter piacquero quelle parole, anche se non riusciva ad avvertire in se stesso alcuna traccia della forza generatrice della Natura e ancor più difficile gli era supporne la presenza nel corpo fragile di Linda. Ora tuttavia gli pareva di comprendere meglio la ragione per cui dinanzi al braccio nudo di Carmen aveva provato una sensazione di sgomento e insieme di reverenza, di attrazione e timore, come forse si prova dinanzi a un segno del divino. Ripensò a un celebre dipinto del quale spesso aveva veduto la riproduzione, e improvvisamente capì, o credette di capire, perché l'Amor Sacro vi fosse raffigurato nelle sembianze di una donna nuda e l'Amor Profano invece fosse tutto avvolto nei panneggi di un'ampia veste dalle maniche lunghe, simile all'abito da sposa che Linda gli aveva mostrato con orgoglio qualche giorno prima.

Un rumore di zoccoli e di ruote lo riscosse da queste riflessioni. Due carrozze scoperte, da noleggio, risalivano al trotto il viottolo di terra battuta che conduceva alla chiesa. La moglie del capitano, agghindata a festa e circondata da una torma di bambini schiamazzanti, occupava la prima. Sull'altra sedeva il capitano stesso, in un abito da cerimonia palesemente non suo, e accanto a lui l'Amor Profano si guardava intorno con espressione distaccata senza badare al vento che gli gonfiava la maniche.

La moglie del capitano scese per prima e fece schierare in bell'ordine i figli, anch'essi tirati a lucido e stranamente docili al volere materno, quasi che l'abbigliamento cui erano costretti avesse tolto loro il coraggio della disobbedienza. I maschietti vestivano in nero, con pantaloni corti, calze bianche che arrivavano fin sotto il ginocchio e scarpe di vernice dall'aria scomoda, scintillanti al sole. Le femmine erano vestite di bianco come spose in miniatura, e sulla testa portavano grossi fiocchi di raso, ciascuno di un diverso colore.

Quando furono disposti ai due lati del sagrato, i bambini da una parte e le bambine dall'altra, il capitano si decise a scendere a sua volta e aiutò Linda, che si supponeva impacciata dallo strascico, a non inciampare sugli stretti gradini del predellino. In realtà lei si muoveva con la consueta disinvoltura, mentre l'abito preso a nolo costringeva il capitano a gesti ancora più goffi del solito.

Senza interpellare nessuno, come se gli spettasse di diritto, si era assunto il ruolo di padre della sposa, e fu lui a condurla solennemente all'altare percorrendo la navata con un'andatura grottesca e innaturale che faceva pensare all'ambio dei cavalli. Nel frattempo l'organo aveva intonato alla meglio le note risapute di una marcia nuziale.

Walter, inginocchiato al fianco di Linda, attendeva impaziente la fine della cerimonia, e intanto lanciava sguardi obliqui al polso di colei che in quell'istante diveniva sua moglie, sperando forse di ravvisare sotto le maniche di pizzo la linea sinuosa del bracciale d'argento.

Infine, obbedendo alle istruzioni del prete, si rialzò, sfiorò appena con le sue le labbra della sposa e la guidò in fretta fuori della chiesa. Là, come era da prevedersi, i bambini del capitano li accolsero gettando loro in faccia grosse manciate di riso.

Mentre aiutava Linda a risalire in carrozza Walter scorse lo scienziato seduto su un muretto. Evidentemente non era neppure entrato in chiesa.

– Cosa fai? – gli gridò.

– Niente che valga la pena di riferire – rispose l'altro stringendosi nelle spalle.

– Ci vediamo al banchetto.

– No, scusa, non ho tempo, devo tornare in città. Stammi bene, e cerca di divertirti... per quanto è consentito in simili circostanze –. Si alzò e rivolse a Linda un leggero inchino. – Signora, i miei rispetti.

Walter seguì con lo sguardo l'alta figura che si allontanava a piedi lungo il viottolo, strascicando a bella posta le scarpe nel terriccio in modo da sollevare una nube rossastra di polvere. L'amico, concluse, era davvero offeso.

Come si venne a sapere quando il pranzo fu terminato, il capitano teneva in serbo una sorpresa per i suoi protetti. Aveva pagato il noleggio di una delle carrozze per l'intera giornata così che gli sposi potessero compiere il brevissimo viaggio di nozze sulla "Via degli amanti". Tale era il nome promettente con il quale gli albergatori della zona avevano ribattezzato la strada che costeggiava il fiume.

Partirono, salutati dalle allusioni volgari del capitano e dalle lacrime di commozione della moglie, sotto un cielo capriccioso che ora si abbuiava tutto come se preparasse un temporale, ora pareva ripensarci e disperdeva le nubi lasciando scoperto il disco opalescente del sole.

La Via degli amanti correva per un tratto lungo una parete rocciosa a picco sul fiume, e Walter, temendo che Linda avesse paura, ordinò al cocchiere di mettere al passo i cavalli. Ma sul volto di lei non c'era paura, soltanto un vago sorriso, egli non sapeva se di rassegnazione o di pacata contentezza.

A una svolta il fiume scomparve e si trovarono in mezzo a una fitta boscaglia. Alle foglie verdi se ne mescolavano di gialle e di rossicce, producendo una tonalità sfumata simile ai colori dei vestiti di Linda.

Walter le prese una mano che lei abbandonò nella sua, ma non gli venne in mente di baciarla, benché il cocchiere ostentasse in ogni modo di badare solo alla strada e di essere cieco e sordo per quanto avveniva dietro di lui.

– Sei contenta? – le chiese sottovoce, e in verità avrebbe voluto domandarle se fosse pentita.

– Naturalmente. E tu?

– Naturalmente.

Le passò un braccio intorno alle spalle e la tenne stretta a sé, ma non troppo stretta, mentre la strada usciva dal bosco e tornava a costeggiare il fiume di là dall'ansa.

– Guarda – disse Linda, – non è magnifico? – E indicò quello che di lassù pareva un promontorio boscoso. Dalla vegetazione emergeva il tetto di un edificio.

– È la Villa.

Sentì il corpo di Linda irrigidirsi e le dita scivolare lontano dalle sue.

– Che ti prende?

– Niente.

Le tese di nuovo una mano, ma lei non se ne accorse: teneva gli occhi fissi sull'Isola, con un'ostinazione meccanica da cui era impossibile distoglierla.

– Più in fretta – disse Walter al cocchiere. E presto la carrozza tornò a inoltrarsi nel bosco.

Walter non osò mai attaccare al muro la vecchia fotografia scattata nel parco della Villa. Lo tratteneva una sorta di religioso timore, come se il sistemarla sulla tappezzeria consunta dell'appartamento fosse un atto sacrilego. Quelle figure sbiadite, il conte, il giovane contino, la contessa dagli occhi neri, quegli ignoti personaggi che avevano in un più nobile passato la propria atmosfera naturale avrebbero patito, appesi alla parete, una seconda morte, più assoluta e terribile della prima, poiché non si sarebbe limitata a distruggere i loro corpi, ma avrebbe umiliato fino ad annientarla l'essenza che vi si era incarnata.

Una riflessione del genere, sebbene mai formulata esplicitamente, indusse Walter a lasciare la fotografia nel cassetto del comò. Talvolta, i primi tempi, la tirava fuori e rimaneva a lungo a contemplarla seduto sul letto, quando Linda non era nella stanza. Poi tornava a riporla con cura, come un'immagine sacra affidata soltanto a lui e alla testa di Medusa di cui aveva imparato a sostenere senza inquietudine lo sguardo immobile e vacuo. Da nemica, la creatura mostruosa si era trasformata in complice, e a poco a poco prese a ispirargli addirittura un senso di confidenza. Apprezzava la strana bellezza delle linee contorte che le circondavano il viso, e scopriva in lei un fascino del quale erano prive le sue sorelle, in apparenza identiche, poste a guardia degli altri cassetti, un fascino oscuramente legato a quel ritratto.

Ma col trascorrere dei giorni, assediato dalle preoccupazioni domestiche, cominciò a dimenticare la Medusa e la vecchia fotografia, e il conte e la sua famiglia poterono riprendere nel chiuso del cassetto il loro sonno inviolato senza curarsi dei tiepidi riti nuziali celebrati lì di fronte, sotto il baldacchino.

La vita in comune di Walter e Linda si svolgeva serena fra i mobili antichi che conferivano all'appartamento un fasto appannato e irreale. C'erano e al tempo stesso sembravano non esserci, come gli scenari dipinti sono presenti e insieme assenti sui fondali di un teatro.

Così Amore e Psiche, raffigurati in un boschetto sull'enorme tela appesa nella sala da pranzo, sembravano voler nascondersi dietro la velatura giallastra del quadro per sottrarre il loro abbraccio agli sguardi dei padroni di casa e degli eventuali invitati. Gli sposi consumavano i pasti in cucina; solo quando avevano ospiti apparecchiavano, sotto la sdegnosa sorveglianza delle due mitiche creature, la tavola di mogano intarsiato, mobile di fattura squisita ma con una gamba più corta delle altre, tanto che era stato necessario rialzarla servendosi di uno strato di cartone.

Un tramezzo separava la parte adibita al pranzo dalla metà della stanza che si era convenuto di definire "il salotto". Là si facevano accomodare gli ospiti terminata la cena e si offrivano sigari e liquori.

Le poltrone del salotto, seppure scompagnate, a giudizio di Walter erano magnifiche. Fra tutte prediligeva una bergère alta come un trono, maestosa e insieme protettiva nella morbida curva dello schienale che proseguiva ininterrotta fino ai braccioli. Altre avevano una forma più semplice, ma il velluto prezioso delle fodere, con i colori ormai stinti, era forse persino più raffinato di quanto fosse da nuovo, e ancora vi s'intuiva la trama sapiente di un ricamo.

Seduti su quelle meraviglie lo scienziato e il mago intrecciavano le loro dispute serrate e talora il capitano vi prendeva posto insieme con la moglie. I figli li lasciavano a casa, o tutt'al più ne portavano un campionario accuratamente selezionato.

La sera, congedati gli ospiti, Walter provava tuttavia un senso di disagio all'idea di rimanere in mezzo a quei mobili che una volta erano appartenuti alla Villa e in qualche modo continuavano ad appartenerle, soprattutto adesso, quando la penombra occultava le offese inflitte loro dal tempo e ne restituiva intatto lo splendore. Allora gli sembrava che lui e Linda fossero due estranei capitati per caso, non invitati, in una dimora sconosciuta, e senza bisogno di spiegarne alla moglie la vera ragione si ritirava con lei in cucina.

Qui svolazzava in libertà il brutto uccello portato da Linda quale unica dote nella sua casa di sposa. Era ormai troppo grosso per poter trascorrere tutto il tempo rinchiuso nella gabbia e l'ala spezzata, grazie alle cure della padrona, era quasi guarita. Gli avevano tolto la rudimentale ingessatura, composta di una stecca di legno e di un largo nastro che la fasciava a guisa di benda, e il suo volo rivelava l'antica ferita soltanto per una leggerissima asimmetria nel movimento delle ali, una delle quali si fletteva con breve ritardo rispetto all'altra, e più lentamente, come afflitta da una forma di timidezza. Nonostante il miglioramento delle sue condizioni, non c'era però stato modo di persuadere l'animale ad abbandonare quel comodo rifugio per tentare la fortuna da solo.

Walter ne tollerava la presenza, vi si era abituato, anche se avrebbe preferito una bestia più esotica, magari un uccello del paradiso, di cui ignorava tutto fuorché il nome, ma se lo figurava bellissimo, con voce armoniosa, sguardo altero e una coda lunghissima e multicolore che si aprisse a ventaglio oppure ricadesse morbida in una cascata di piume. Una creatura del genere, pensava, si sarebbe intonata perfettamente ai sontuosi mobili di casa. L'avrebbe mostrata con orgoglio agli amici, e le avrebbe permesso volentieri di appollaiarsi sull'alto schienale della bergère o di eleggere a proprio nido il tetto di seta del baldacchino.

Gli era toccato invece questo uccellaccio prosaico dalle penne grigie, incapace di emettere altro suono che un verso gracchiante e di adattarsi ad altro ambiente che a quello povero e angusto della cucina. Qui lo trovavano, ogni notte, accoccolato come un gatto sopra la mensola del camino, e Linda sbriciolava per lui pane secco e lo inzuppava nell'acqua. Poi, quasi per dimostrare a Walter che le attenzioni tributate all'animale non le facevano scordare i suoi doveri di moglie, si offriva di preparargli il cestino della frutta.

Egli rifiutava. – Il viaggio è breve – diceva, – non avrò il tempo di patire la sete.

Il coltello a scatto non l'aveva mai restituito. Lo teneva sempre con sé, in una tasca dell'uniforme, e lo considerava un dono nuziale di Linda. Per ricambiarla, il mattino che seguì la prima notte di nozze uscì da solo inventando un pretesto e ritornò con un elegante binocolo avvolto in un foglio di carta dorata. – Così – aveva detto, – potrai vedere meglio il panorama dalla terrazza dell'Excelsior.

Ma Linda da allora prese a uscire sempre più di rado, e infine smise del tutto: si allontanava di casa soltanto per fare la spesa nelle botteghe dei dintorni. Il giovane si convinse dunque di aver gettato il suo denaro per un dono non gradito e assolutamente inutile.

Invece la notte, dopo che Walter era uscito, lei sedeva davanti alla finestra puntando il binocolo in direzione del fiume. Aveva imparato a riconoscere da lontano la sagoma della chiatta, aspettava finché non la vedeva passare scivolando sull'acqua scura. Allora sentiva freddo e si riparava le spalle con un grande scialle di lana. Appena la nave era scomparsa dietro l'ansa posava il binocolo, chiudeva le imposte e andava a coricarsi. Spegneva il lume, poi si rannicchiava sotto le coltri in attesa del sonno.

Il capitano era dell'opinione che Walter avesse sposato "la perla delle donne", forse perché Linda non manifestava alcun desiderio di lampadari di cristallo, né esigeva un pianoforte o fiori freschi tutte le mattine. Era docile, quieta, senza pretese, e queste qualità, sempre a detta del capitano, facevano di lei una felice eccezione nel sesso notoriamente capriccioso cui apparteneva.

Per Walter l'arrendevolezza della moglie non era certo una sorpresa: ogni cosa, fra loro, si svolgeva in tutto e per tutto secondo le sue previsioni.

Benché il matrimonio non ne avesse cambiato il carattere, Linda andava tuttavia perdendo la propria distinzione. Si stava a poco a poco adeguando all'ambiente nel quale viveva, anziché reagire vi si abbandonava con indolenza. Pure, quando la vedeva stendere i panni nel solaio attorniata dalle vicine e rispondere con educato riserbo ai loro tentativi di entrare in confidenza, a Walter sembrava ancora di trovarsi di fronte la fanciulla che un giorno aveva conosciuto sulla terrazza dell'Excelsior.

Seguitava, come obbedendo al principio d'inerzia, ad aver cura della propria bellezza, ma i vestiti di seta pendevano dimenticati nell'armadio; solo di rado, per ricevere qualche ospite, indossava uno di quegli abiti ormai invecchiati dalla lunga permanenza nel chiuso del guardaroba, dove l'ampiezza vaporosa delle gonne si era mutata in una mollezza flaccida e priva di forma.

Di solito portava un vecchio vestito da casa, un po' troppo largo per la sua persona, che aveva tutta l'aria di essere stato acquistato a una fiera di paese. Per dormire si infilava una camicia di cotone le cui maniche scendevano aderenti fino ai polsi.

Per un'oscura ragione, il suo senso del pudore sembrava si fosse concentrato essenzialmente sulle braccia: non le mostrava mai, neppure al marito. L'immagine di Carmen e delle spire d'argento si faceva sempre più sfocata nella memoria di Walter. A volte tornava ad affiorare, e allora egli si meravigliava di aver potuto supporre che quelle due donne fossero una sola.

Così trascorse l'inverno e giunse di nuovo la primavera, mentre l'attrazione estetica esercitata sul giovane da Linda si affievoliva impercettibilmente, e impercettibilmente cresceva il suo affetto per lei.

II

Con la bella stagione Walter tornò all'antica abitudine di passare le serate all'Excelsior. Poiché faceva ancora troppo freddo per stare sulla terrazza, sedeva in una delle salette. A quell'epoca si vedevano pochissimi turisti: le stanze dell'albergo erano per la maggior parte vuote, lo si capiva dalle imposte chiuse che spiccavano con il loro legno scuro sul bianco della facciata. Quelle finestre sempre schermate, come occhi ai quali un invincibile torpore impedisse di sollevare le palpebre, ispiravano a Walter un senso di abbandono accompagnato da una lieve tristezza. Ogni anno attendeva con impazienza che le giornate divenissero più lunghe, il clima più mite, e che la clientela elegante giungesse numerosa a occupare le camere. Adesso ai tavolini del caffè comparivano soltanto ufficiali di marina, oppure qualche uomo d'affari riconoscibile dai gesti rapidi e sbrigativi con cui faceva l'ordinazione, consumava la sua bevanda e infine si alzava, quasi avesse indugiato già troppo rimandando faccende di ben altra importanza. Di rado i clienti di questa specie levavano lo sguardo verso le finestre per ammirare il panorama, e ancor più di rado vi era una donna seduta con loro, sicché il luogo assumeva l'aspetto un po' desolato di un circolo maschile.

Ma una sera, a un tavolino vicino al suo, notò un uomo che invece dell'uniforme indossava un abito di ottimo taglio, e tuttavia non sembrava aver fretta. Nella sala non c'era nessun altro e Walter, fingendosi assorto nella lettura di un giornale, prese a esaminare furtivamente la figura e i modi del forestiero. A poco a poco, con un certo stupore, si accorse che questi stava facendo altrettanto. Lo sorvegliava, come temendo di vederlo andar via, e spesso si girava verso di lui con movimenti cauti cui si sforzava di conferire un'apparenza di casualità. Così i due si scrutavano a vicenda, pur non cessando di simulare la più assoluta indifferenza reciproca.

Quando venne il cameriere a prendere l'ordinazione lo sconosciuto gli disse qualcosa a voce bassissima. Il cameriere lanciò un'occhiata in direzione di Walter, poi tornò a guardare il cliente e fece un cenno affermativo.

Presto rimasero di nuovo soli. Il pilota cominciava a sentirsi a disagio, anche se in circostanze diverse la presenza di quell'uomo gli sarebbe stata assai gradita, poiché amava la distinzione, e il personaggio seduto all'altro tavolino era senza dubbio un "signore".

Alla luce fioca degli abat-jour i suoi lineamenti si intravedevano appena, e ancor più difficile sarebbe stato attribuirgli un'età. Sembrava un uomo anziano, dall'aria grave e posata, finché un qualche pensiero si rifletteva improvviso sul suo volto animandolo di un'espressione infantile. Ma sempre alla repentina animazione seguiva un incupirsi dello sguardo, e in quei momenti il forestiero pareva astrarsi da quanto lo circondava, tanto che Walter avrebbe potuto alzarsi e lasciare la stanza inosservato.

Non lo fece. La curiosità lo teneva inchiodato al suo posto. Attendeva che l'uomo si decidesse a parlargli, a spiegargli il motivo di un tale interesse. Inoltre avvertiva in quello sconosciuto qualcosa di vagamente familiare: affiorava nel profilo, nel volto lungo e scavato, ma veniva contraddetto da ogni sguardo degli occhi malinconici che Walter era certo di non avere mai visto. Erano di un azzurro scuro, come l'acqua del fiume nei punti dove il sole non batte. Ora dinanzi al loro specchio mutevole sembrava fosse trascorsa una vita intera, ora sembrava si fossero appena dischiusi e accogliessero il mondo per la prima volta.

Sono i giochi di luce dell'Excelsior, pensò Walter, gli inganni del sole al tramonto. Gli stessi che rendevano così difficile distinguere Linda da Carmen, la chioma castana da quella rossa o corvina. Incontrando il forestiero per strada, in pieno giorno, avrebbe probabilmente veduto un signore sui quarant'anni, dalla figura elegante e dagli occhi celesti, e non vi avrebbe ritrovato nulla di quanto gli appariva allora, in quella penombra accesa dai bagliori del crepuscolo come da lampi colorati di fuochi d'artificio.

Ma queste riflessioni non placavano la sua curiosità; continuava ad attendere senza sapere di preciso che cosa.

Infine lo sconosciuto si alzò, mosso da una risoluzione improvvisa, e si avvicinò al suo tavolino. Quando fu a pochi passi da lui lo fissò apertamente. Walter gli rispose con un'occhiata cortese e interrogativa.

Sembrò che l'altro stesse per rivolgergli la parola, invece non disse niente e proseguì verso l'uscita.

Con il tempo e con un'insistenza discreta ma tenace, Linda aveva ottenuto che all'uccello grigio fosse consentito di girare liberamente per tutta la casa, e la bestia aveva preso l'abitudine di seguire ovunque la padrona, svolazzandole intorno o appostandosi in qualche luogo elevato da cui controllava ogni suo movimento. I piccoli occhi rotondi si facevano ancora più sporgenti, si protendevano quasi volessero raggiungere l'oggetto della loro attenzione. Lei sbrigava le faccende senza badargli, e solo al momento di lasciare la stanza lo chiamava con un cenno della mano.

L'unica restrizione che Walter riusciva ancora a imporle era di tenerlo chiuso in cucina quando vi erano ospiti. Spesso, in tali occasioni, Linda guardava istintivamente verso il soffitto per cercare la sagoma scura del volatile, e sparecchiando la tavola passava in rassegna gli avanzi accumulati lungo i bordi dei piatti e selezionava quelli da destinare al suo pasto serale.

Gli era affezionata in un modo strano, privo di calore. Servendosi di vecchi stracci gli preparava nidi accoglienti in cima ai mobili più alti, e per evitare che fuggisse aveva inchiodato zanzariere ai telai delle finestre; eppure non aveva pensato di dargli un nome, e nemmeno gli parlava come fanno di solito le donne con i loro animali domestici. Se talora la bestia le si appollaiava su una spalla o cercava rifugio nel suo grembo, l'accarezzava con la stessa pacata condiscendenza con la quale rispondeva agli abbracci del marito.

A quest'ultimo, diversamente che all'animale, era concesso di andare e venire a proprio talento, e mai, rincasando, dovette rendere conto alla moglie di come aveva trascorso il tempo. L'affetto di Linda era un sentimento pigro, non comportava apprensione o gelosia nei confronti dell'essere amato.

Del resto Walter usciva poco, e quasi sempre per incontrare i due amici. A volte erano loro a venire a cena dagli sposi, ma l'indifferenza dimostrata inizialmente da Linda di fronte a quelle visite sembrava andasse mutandosi, con il trascorrere dei mesi, in un senso di fastidio al quale solo il suo carattere riservato e la propensione naturale per il silenzio impedivano di manifestarsi in maniera palese.

Una sera, mentre cenavano in compagnia degli altri

due Walter, l'uccello era evaso dalla sua prigione e aveva preso a volteggiare intorno al globo di vetro che irradiava una luce debole sulla grande tela a olio e sulla tavola apparecchiata.

– Ti prego, cara – disse Walter, – riportalo subito in cucina.

– E perché? – replicò lei asciutta. – Non fa nessun danno.

Lo scienziato seguiva quei volteggi con sguardo diffidente. – Purché non venga a curiosarmi nel piatto. Mi piacerebbe proprio sapere perché vi teniate in casa un simile mostriciattolo.

– È stata Linda a volerlo. È amica degli animali.

– Ah, questa è davvero un'ottima cosa – disse il mago illuminandosi in viso, – il segno infallibile che rivela un'anima eletta. Non sempre alla gentilezza dell'aspetto corrisponde la gentilezza del cuore, ma nel suo caso posso chiaramente constatare...

Walter si era alzato, aveva impugnato un lungo coltello e stava armeggiando intorno al pollo arrosto per dividerlo in quattro porzioni. L'uccello di Linda, appollaiato sullo schienale di una sedia libera, osservava l'operazione con una certa perplessità.

– ... Sì, mia cara, nel suo caso si può chiaramente constatare come l'esteriore sia specchio fedele dell'interiore, e questo di quello... Grazie, Walter, lascia pure anche l'ala... Una corrispondenza miracolosa, che ci rammenta l'unità originaria di corpo e anima.

Portò il bicchiere alle labbra e lo vuotò in un sorso. Lo scienziato approfittò subito dell'interruzione.

– Amica degli animali, anima eletta, unità originaria... Devo confessare che sono ammirato. Non credo vi sia nessun altro a questo mondo capace di infilare tante fandonie in un lasso di tempo così breve.

Il mago depose il bicchiere con moto brusco. – Sentiamo, allora. Quali sarebbero le fandonie?

– Primo...

– Dubiteresti forse della nobiltà d'animo della nostra ospite?

Linda giocherellava con un pezzetto di pane senza decidersi a portarlo alla bocca.

– Tu lo fai apposta, travisi sempre le mie parole. Non voglio affatto negare le numerose virtù della signora. Glielo assicuro, non ho mai voluto negarle.

– Ma certo – intervenne Walter, – nessuno dubita della tua stima per lei. Petto o coscia?

– Coscia, grazie.

– Come Linda.

– Come Linda? – fece lo scienziato. – È senz'altro il segno di qualche corrispondenza originaria.

Il mago gli lanciò un'occhiata torva. – Le battute di spirito sono una risorsa utilissima quando non si trovano argomenti.

– Ah, no, caso mai spetta a te chiarire il senso delle tue affermazioni. Primo, cosa intendi quando parli di anima eletta, di nobiltà dell'anima? Chi mai sarebbe questa signora anima? Che ne sai dei suoi vizi e delle sue virtù?

– L'anima, caro mio...

– Secondo, l'amicizia per gli animali di cui tanto ti compiaci... Sei sicuro che esista davvero, che non sia una formula contraddittoria? L'amicizia dopotutto è un sentimento umano, e per natura si rivolge a esseri umani. Proiettarla su creature inferiori, come sembra fare la nostra ospite...

– In effetti – ammise il mago, – forse amicizia è un termine improprio. Si dovrebbe piuttosto parlare di amore, poiché l'amore a volte nasce dalla compassione.

Con un gesto ostentato, quasi teatrale, lo scienziato affondò coltello e forchetta nella sua porzione di pollo. – La compassione verso esseri dei quali ci nutriamo – disse dopo aver mangiato qualche boccone, – non è altro che un lusso ipocrita. Piaccia o non piaccia, la nostra è una specie di carnivori.

Linda spinse in un angolo del piatto la coscia di pollo, ancora intatta.

– Andiamo, questa è davvero una reazione infantile. Cosa vorrebbe dimostrare?

– Non voglio dimostrare proprio nulla. Semplicemente, non ho più appetito.

– Lo vedo bene, le mie parole l'hanno turbata. Lei preferirebbe ignorare da dove viene il cibo di cui si nutre.

– Le ripeto che non ho appetito.

Ma lo scienziato continuò senza badarle, e intanto, tra una frase e l'altra, mangiava di buona lena. Si sarebbe detto lo facesse a scopo dimostrativo. – Lo riconosco, è assai più comodo nascondere la testa sotto la sabbia. Pure, mia cara, c'è chi si occupa di allevare il bestiame, e c'è chi lo trasporta al mattatoio...

– Basta, ti prego – intervenne Walter, notando come il volto della moglie divenisse sempre più cupo. Ma l'altro non se ne diede per inteso.

–... E costoro, con queste mansioni che lei giudicherà certo vili e spregevoli, provvedono anche al suo sostentamento.

– Io non giudico nessuno, non ho appetito.

Il mago, seduto al fianco di Linda, le prese una mano e l'avvolse in una stretta paterna. – Comprendo benissimo i suoi scrupoli.

– Non ne dubito – commentò lo scienziato in tono di scherno.

Il mago lo ignorò. – In questi scrupoli, carissima amica, si esprime una grande verità: che cioè lei e io, e tutti gli uomini, persino lo scienziato qui presente, e anche gli animali su cui tanto infieriamo, che noi tutti, dicevo, apparteniamo a un medesimo, unico Essere. Siamo, se mi consente l'immagine, tante piccole cellule del corpo immenso di Dio.

– Lei crede? – fece Linda, la quale mostrava di non gradire quell'avvocato difensore.

– Non io lo credo, ma i sapienti di ogni tempo, di ogni paese. Però, vede, non c'è ragione di limitare al regno animale questo sentimento di affinità. Questo bel sentimento – precisò guardando di sbieco lo scienziato, – indizio inequivocabile della nobiltà di un'anima. Anche le piante, di cui lei si ciba senza rimorso, sono cellule del corpo di Dio, anche gli oggetti che noi, nella nostra cecità, diciamo privi di vita, mentre non c'è nulla nell'universo intero che non possieda una propria vita.

– Ma bravo – disse lo scienziato battendo le mani, – un'argomentazione davvero brillante. Stando così le cose, Linda cara, se proprio ci tiene a essere in pace con la sua coscienza dovrà rassegnarsi a smettere di mangiare.

– Sbaglierebbe – replicò il mago, – come sbaglierebbe a rifiutare la carne. Perché l'Essere, questa unità divina alla quale tutti apparteniamo, non è pace, bensì lotta e conflitto, e dunque anche uccidendo noi non facciamo che adempiere la sua legge inviolabile –. Si interruppe un istante per forbirsi la bocca con il tovagliolo. – Quindi, cara amica – concluse, – può finire tranquillamente la sua coscia di pollo.

– Coraggio, Linda, che altro aspetta? È l'Essere stesso a comandarglielo.

Un pomeriggio di maltempo Walter incontrò di nuovo il forestiero nella saletta dell'Excelsior. Qualcuno aveva acceso il camino; il crepitio della fiamma si sovrapponeva al rumore dei tuoni lontani e la sua luce rischiarava la stanza colorando la tappezzeria di una tinta purpurea.

Walter osservava lo sconosciuto. La sua carnagione

era assai più scura di quanto si confacesse al biondo dei capelli. Vi era inoltre uno strano languore negli atteggiamenti del suo corpo dinoccolato, nel modo in cui muoveva le mani lunghe e sottili, un languore senza nulla di femmineo. Il forestiero, favoleggiò, doveva giungere da qualche terra d'oriente o da una Sibari dimenticata che ancora sopravvivesse in un angolo remoto del globo. Un luogo caldo, certamente, dove il sole non inviava i propri raggi, come qui, sgombrandosi a fatica la strada fra barriere di nuvole, ma esercitava una signoria assoluta, dispotica, sugli uomini e sulle cose.

A un tratto il biondo sibarita prese di tasca una scatola di sigari, la depose sul tavolino, quindi si rivolse a Walter chiedendogli da accendere.

Forse perché i sigari erano di gran marca e le mani dello sconosciuto bastavano da sole a testimoniare il suo rango, o forse per ricambiare la cortesia con la quale era stata formulata la richiesta, Walter decise che toccava a lui alzarsi e andare fino all'altro tavolino per consegnare i fiammiferi.

Il forestiero teneva un sigaro spento fra le labbra, ma appena il giovane gli fu di fronte tornò a posarlo sulla tovaglia. – Se non erro, signore, non è la prima volta che ci vediamo.

– È possibile. Io vengo qui molto spesso.

– Sempre solo?

– In effetti, da qualche tempo...

L'uomo indicò la sedia accanto alla sua. – Perché dunque non vi accomodate? Anch'io sono solo, e potremmo tenerci un po' di compagnia. Se vi fa piacere, beninteso.

Walter ringraziò e sedette. Era colpito dalla voce dello sconosciuto: aveva pronunciato quelle brevi frasi dilatandole in una sorta di lento mormorio che doveva essere il suo tono naturale, e ciascuna con uguale cadenza, come se il contenuto gli fosse del tutto indifferente. Le parole più che comunicare qualcosa sembravano voler avvolgere l'ascoltatore in un'atmosfera indefinibile, di confidenza e insieme di distacco.

– Sapete, sono in città da poco più di una settimana e quindi... Ma dite, perché sorridete?

– Mi perdoni, signore. Lei è straniero, forse?

– Niente affatto.

– Ma certo è appena tornato in patria dopo una lunga assenza.

– Scusate, non capisco il motivo di questa domanda.

Walter si era ormai abituato al tono di voce apparentemente uniforme dello sconosciuto e adesso era riuscito a coglhervi una leggerissima variazione, una traccia pressoché inavvertibile di alterigia.

– Vede – si affrettò a rispondere per giustificare la propria indiscrezione, – qui sono anni che non si usa più il voi.

– Ah, sì, l'ho saputo. Tuttavia, come avete potuto constatare, non mi sono ancora abituato. La mia indole è assai refrattaria alle novità.

– Ci si abitua, signore. Gradualmente.

– Gradualmente, appunto. Ma voi avete già intuito che torno da una lunga assenza, e tutto mi appare così diverso da come lo ricordavo...

– Venite da molto lontano? – si azzardò a chiedere Walter con una certa timidezza. Senza rendersene conto, si era adeguato all'uso del voi.

– Sì, da lontano – disse l'altro distratto. – Però, vedete, serbavo questi luoghi nella memoria con tale precisione che trovandoli così mutati...

L'uomo non guardava Walter mentre parlava. Gli occhi azzurri sembravano rivolgere lo sguardo verso l'interno, e anche la voce si era fatta più velata, come se a poco a poco sprofondasse in un soliloquio. Con le sue frasi spezzate andava tracciando immagini remote intelligibili soltanto per lui, e pareva dimentico della presenza del giovane.

– Dunque, signore, siete di qui?

– Di qui... Sì e no – rispose il forestiero riscuotendosi. – Ma di me, caro ragazzo, abbiamo detto fin troppo. Adesso io me ne starò buono buono, in silenzio, a fumare il mio sigaro, e voi intanto mi racconterete ogni cosa.

– Ogni cosa?

– Ma sì, di voi, della vostra vita...

– La mia vita – ripeté Walter con un sospiro. – Sapete, sono stato provato dalla sventura.

– Più o meno capita a tutti.

– È capitato anche a voi?

– Insomma – fece l'altro ridendo, – non volete proprio lasciarmi fumare in pace.

– Allora, se permettete, vi parlerò del mio passato.

– Ah, no, questo non ve lo permetto. Il passato, caro amico, è un fardello che ciascuno deve portare sulle proprie spalle. O se preferite, è una miniera che va scavata in solitudine.

Non aveva espresso quei pensieri nel tono sentenzioso che avrebbero usato il mago e lo scienziato, ma con leggerezza, quasi ironico nei confronti di se stesso e della serietà di quanto stava dicendo.

– Piuttosto un fardello, signore, che una miniera.

– Parlatemi invece del vostro presente. Anch'io vi gioco una parte, sia pure modesta, e perciò mi sarà più facile comprenderlo. E poi, ve lo confesso, mi interessa molto sapere come si vive oggi in questa città. Il porto è cresciuto, mi pare.

– Non so. Senza dubbio c'è un grande traffico di navi.

– E il vostro lavoro, immagino sia legato a questo traffico.

– Sì, signore – rispose il giovane con imbarazzo. – Sono al servizio della Compagnia.

– Della Compagnia? È davvero interessante. Vi prego, ditemi del vostro lavoro.

E Walter, di malavoglia, incominciò a raccontare, mentre la fiamma del camino si andava estinguendo e il forestiero giocherellava con il sigaro spento, portandolo talvolta alle labbra, talvolta rigirandolo fra le dita.

– La Villa? – lo interruppe all'improvviso. – Dunque esiste ancora?

– Certo che esiste. Ve la ricordate?

– La ricordo, sì, e molto bene –. La sua voce si era fatta ancora più sommessa, la cadenza più lenta.

– Ora appartiene alla Compagnia.

I lineamenti del forestiero si irrigidirono. Un'immagine affiorò nella mente di Walter, ma svanì prima che potesse afferrarla. L'altro aveva cessato di ascoltare: guardava verso il fiume con un'espressione di grande stanchezza, e Walter capì che era giunto il momento di congedarsi.

– Bene, signore, pûrtroppo devo salutarvi. Impegni di lavoro.

– Mi dispiace dobbiate andar via così presto. Ma vi sono grato della conversazione, e spero di non avervi troppo annoiato.

– Che dite, per me è stato un onore.

– C'è ancora una cosa di cui vorrei pregarvi.

– Se mi è possibile, con molto piacere.

– Lasciatemi i vostri fiammiferi, ve li restituirò domani. Voi verrete domani, non è vero?

Il giorno dopo lo trovò sulla terrazza, affacciato alla balaustra di marmo. La luce del crepuscolo metteva in risalto il profilo nobile, un po' grifagno, dal mento a punta e dal naso aquilino. Sui capelli tagliati cortissimi la brezza modellava lievi ondulazioni.

Si avvide immediatamente della presenza del giovane. – Buonasera, Walter – disse con un sorriso. Sorrideva sempre senza dischiudere le labbra, piegando soltanto un angolo della bocca. – Siete venuto a riprendervi i fiammiferi?

– Come sapete il mio nome? – chiese il giovane stupito.

– Me lo avete detto voi stesso, naturalmente.

– Davvero?

– Non ricordate? Ieri sera, quando vi siete seduto al mio tavolo.

– E voi... mi avete detto il vostro?

– Ma certo. Avete dimenticato anche questo?

– No – mentì Walter per non apparire scortese. – Ora ricordo benissimo.

L'altro si era voltato di nuovo dalla parte del fiume. Fissava il paesaggio con sguardo attento, concentrato. Più che ammirarlo sembrava lo esaminasse alla ricerca di qualcosa. – Meglio così – disse piano. – La memoria, sapete, è la nostra più grande ricchezza.

Seguitava a guardare, in silenzio, e a Walter parve che desiderasse restare solo. Stava per accomiatarsi, quando il forestiero tornò a rivolgersi a lui. – Scusate, potreste indicarmi la Villa? Io non riesco a vederla.

– Infatti, di qui non potete vederla. È nascosta dall'ansa del fiume.

– Capisco – fece l'uomo scostandosi dalla balaustra. – Questo albergo dunque non è la sistemazione ideale.

– Come dite?

– Niente. Ma vi prego, sediamoci. Quel tavolino laggiù, contro il muro, andrebbe benissimo: è la posizione più riparata.

Si avviò e Walter lo seguì, domandandosi sotto quale aspetto un posto come l'Excelsior potesse non essere considerato una sistemazione ideale. Che un simile personaggio alloggiasse lì gli sembrava inevitabile, quasi non avrebbe saputo immaginarlo altrove.

– Se non sono indiscreto – chiese quando si furono accomodati su due poltroncine di vimini, – cosa vi ha condotto nella nostra città?

Il forestiero sorrise. – La memoria.

Il giovane provò una certa invidia per quell'uomo che la memoria risospingeva verso i luoghi del proprio passato, invece di indurlo a fuggire da essi. Era partito e aveva desiderato ritornare, mentre a Walter, che sarebbe voluto partire senza più volgersi indietro, una tale opportunità non sarebbe mai stata concessa.

– Un fardello – mormorò. – Ma per voi forse una miniera.

– Che dite?

– Niente.

Rimasero a lungo senza parlare, osservando insieme il panorama. Adesso lo sguardo del forestiero aveva perso la sua inquietudine, si era fatto sereno, contemplativo, offuscato appena da una vaga tristezza.

– Il sole, a quest'ora – disse a un tratto, – tramonta proprio davanti all'Isola. E l'acqua del fiume diventa d'oro.

– Sembra lo conosciate bene quel luogo –. Mentre pronunciava queste parole l'immagine che il giorno prima non era riuscito ad afferrare si delineò precisa nella mente di Walter, ed egli ravvisò nell'uomo seduto al suo fianco il bambino dalla chioma canuta del quale custodiva il ritratto nel cassetto del comò, dietro la testa di Medusa. – Voi... dovete essere cresciuto alla Villa.

– Non esattamente, ci venivo soltanto d'estate. Sapete, i miei zii erano senza figli, il conte e la contessa, e dunque avevano piacere di invitarmi a trascorrere le vacanze da loro.

– Il signor conte! E pensare che non vi avevo riconosciuto.

L'altro lo guardò sorpreso. – Scusate, perché mai

avreste dovuto riconoscermi? Quando sono partito voi forse non eravate ancora nato.

Walter non rispose. Non voleva confessargli di avere arredato il proprio alloggio con i mobili appartenuti ai suoi zii, né tantomeno parlargli della fotografia.

– Se ho ben capito, siete tornato per rivedere la dimora della vostra famiglia.

Il conte fece un cenno affermativo.

– Non sapevate che la Villa era stata requisita?

– Lo sapevo. Ma sono voluto tornare ugualmente.

– E vostra zia? – chiese il giovane d'impulso. – Che ne è stato di lei?

– I miei parenti sono tutti morti – rispose con improvvisa freddezza. – Adesso, se permettete, vorrei rientrare. Il sole ormai è calato.

Linda e Walter fra loro parlavano poco, quasi che il fatto di vivere insieme rendesse superfluo ogni discorso. Lei non accompagnava più il marito fuori casa, né restava a lungo ad ascoltare se egli tentava di raccontarle qualcosa distogliendola dalle sue faccende. Perciò ripensando alle passeggiate, ai pomeriggi sulla terrazza dell'Excelsior, gli sembrava di ricordare un'altra donna, un'antica fiamma scomparsa dalla sua vita con il matrimonio, e che al suo posto si fosse materializzata nella nuova casa quella creatura taciturna, premurosa eppure stranamente cupa, per dormire al suo fianco e prendersi cura della sua persona. In quella dedizione totale Linda riservava per sé soltanto i pensieri, come una cittadella inviolabile in mezzo a un territorio soggiogato da una potenza straniera; ora che ne conosceva il corpo il giovane aveva l'impressione di conoscere sempre meno l'anima della moglie.

Linda non esprimeva a parole i propri sentimenti,

ma li traduceva in un linguaggio di gesti e di brevi istruzioni legati all'andamento domestico. Così non aveva più interrogato Walter sul suo lavoro e non aveva mai detto nulla che lasciasse supporre la minima avversione per esso. Pure da qualche tempo, quando lui rincasava la mattina, esigeva che si lavasse più volte le mani prima di sedere a tavola e pretendeva di assistere a tale operazione.

All'inizio Walter si era ribellato. – Andiamo, questo è assurdo. Una volta è più che sufficiente.

– Ti prego, lavale di nuovo. Per farmi piacere.

Dinanzi a tanta insistenza sospettò che la moglie avesse appreso cosa trasportava la sua chiatta.

– Puoi stare tranquilla, non ho nessun contatto con il carico. Non lo vedo nemmeno.

– Non voglio saper nulla del tuo carico, voglio soltanto che ti lavi le mani.

Per alcuni giorni cercò di discutere, di farla ragionare, ma Linda opponeva ai suoi argomenti un ostinato mutismo. Infine Walter si arrese, sia per non trovarsi di fronte, a tavola, un volto corrucciato, sia perché quell'ossessione si era in qualche modo comunicata anche a lui e talora si sentiva un essere impuro, un beccaio che tornasse a casa con il grembiule macchiato di sangue.

Quando l'Excelsior cominciò a popolarsi di signore forestiere si rese conto di quanto sua moglie fosse deperita negli ultimi mesi. La delicatezza dell'incarnato si era trasformata in un pallore malaticcio, il corpo si era fatto scheletrico, e gli zigomi sporgevano a tal punto sopra le guance da sembrare in procinto di lacerare la pelle. Viveva avvolta nell'ampio scialle di lana, non lo abbandonava mai, neppure nelle ore più calde della giornata.

– È naturale che tu ti sia ridotta così: non tocchi quasi cibo.

Linda non rispondeva. Walter intuiva, sia pure in maniera confusa, che quell'inappetenza crescente era legata a una crescente ripugnanza per il suo lavoro, ma ad ogni tentativo di affrontare la questione lei trovava il modo di cambiare discorso, oppure si allontanava prendendo a pretesto un'incombenza domestica.

Spesso si domandava se nella moglie, dimagrita com'era, sopravvivesse qualcosa della passata bellezza. Per saperlo avrebbe dovuto guardarla con occhi di estraneo; a lui, abituato a vederla giorno dopo giorno, riusciva difficile percepire i mutamenti del suo aspetto, persino la magrezza gli sarebbe sfuggita senza il confronto con le turiste dell'Excelsior.

Certo Linda imbruttiva, si ammalava, invecchiava precocemente, e tutto a causa sua. Si chiedeva perché avesse acconsentito a sposarlo, ma non trovava risposta.

Quando attraversava il solaio per rincasare il chiarore freddo dell'alba scendeva già dai lucernari illividendo le lenzuola stese. Quella vista gli stringeva il cuore: gli rammentava il volto che lo avrebbe accolto stancamente oltre la soglia.

Da parecchio tempo Linda non invitava il capitano e la moglie, ospiti assidui della casa nei primi mesi dopo il matrimonio. Le visite, in generale, la infastidivano sempre più, ma verso l'anziana coppia pareva addirittura nutrire un'ostilità che Walter non riusciva a spiegarsi. E anche in questo caso gli era impossibile indurla a farlo partecipe dei suoi sentimenti.

Una notte, mentre lui passeggiava avanti e indietro nella sala d'attesa della Compagnia, il capitano si affacciò alla porta. Walter si voltò di scatto nell'udire la sua voce improntata a una finta severità.

– Allora, figliolo, che cosa succede? Siete così assorbiti dalle gioie dell'amore da non trovare neppure un'oretta per gli amici?

– No, signore, non si tratta di questo. Ma Linda, ultimamente, non sta molto bene.

– Davvero? – fece l'altro mutando all'istante espressione. Adesso il contegno risentito aveva lasciato il posto alla solita giovialità. – C'è qualcuno in arrivo, o sbaglio? – disse strizzando un occhio. – In verità è un po' prestino, ma voi giovani, si sa, avete il sangue caldo, e accade spesso che si commetta qualche lieve imprudenza prima delle nozze.

– Signore, le assicuro...

– Via, ragazzo, che ci sarebbe da vergognarsi? Siamo fra uomini e ci intendiamo. Anzi, le dirò, secondo me è più che legittimo prendersi un piccolo anticipo sulle delizie della vita coniugale. Diamine, non sarebbe da persona assennata gettarsi nel matrimonio così, alla cieca, come chi cade in un precipizio, senza aver dato nemmeno un'occhiatina...

Walter lo interruppe. – In ogni caso, signore, non è questo il male di cui soffre mia moglie.

– D'accordo, poiché si ostina a negare... Comunque sia, se Linda non si sente bene niente può giovarle quanto un pomeriggio in campagna. Aria pura ci vuole, clorofilla.

– La ringrazio, signore, ma proprio non so. Conduce una vita talmente ritirata...

– E perciò si ammala: lo vede dunque, è ora di cambiare regime. Venite a trovarci questa domenica. Anche mia moglie non fa che chiedermi di voi.

All'alba, rientrato a casa, Walter informò Linda dell'invito del capitano. Mentre parlava, seduto alla tavola della cucina, la donna si affaccendava davanti ai fornelli e sembrava non udirlo neppure.

– Ebbene, mia cara? Che ne dici?

– Non voglio andarci. Inventa una scusa.

– Ma ti farebbe bene, credimi. E poi la campagna ti è sempre piaciuta.

– Non voglio andarci.

Gli passò accanto con il bricco del latte e lui la trattenne afferrandole una mano. Le sue dita ebbero un lieve scatto, come per sfuggire alla stretta, ma dopo un istante vi si abbandonarono con la consueta docilità.

– Siediti qui, discutiamo.

– Il latte si raffredda.

Rimaneva in piedi, reggendo il bricco con la mano libera.

– Ti prego, Linda, posa un attimo quel latte.

– Non posso, ho da fare.

– Spiegami almeno perché non vuoi venire in campagna. È gente un po' volgare, lo ammetto, ma credevo li avessi in simpatia.

– All'inizio, forse. Adesso preferirei non vederli.

– Sai bene che è impossibile. Dopotutto il capitano è il mio diretto superiore, e abbiamo tanti debiti di gratitudine verso di lui.

Linda svincolò la mano da quella del marito e si allontanò dalla tavola. Aveva dimenticato il bricco del latte. Stava in silenzio, ritta dinanzi al camino.

– Andiamo – insisteva Walter. – Ti metterai un bel vestito, uno di quelli che indossavi all'Excelsior e che adesso servono solo a sfamare le tarme. E magari anche qualche gioiello, una spilla, che so, un braccialetto...

– Farò come vuoi – disse lei con voce spenta. – Dopotutto il capitano è il tuo diretto superiore.

La domenica uscirono per andare a pranzo a casa del capitano. Linda si era messa un abito sbiadito dalle lunghe maniche; non portava gioielli, né ci fu modo di convincerla a lasciare a casa il vecchio scialle di lana bianca che tanto la faceva somigliare alle vicine con le quali stendeva i panni nel solaio.

Si inoltrarono nella valle senza luce. L'indolenza della moglie, pensava Walter con tristezza, si era ormai trasformata in sciatteria, in una sciatteria ostentata, quasi fiera di se stessa, e denotava oltre all'incuria per la propria persona un disprezzo muto e profondo per quanto la circondava. Era la Linda orgogliosa conosciuta all'Excelsior, ma adesso quell'orgoglio sembrava si fosse ritorto contro di lei e la conducesse all'estremo avvilimento. Sembrava giudicasse se stessa da lontano, con il suo sguardo di un tempo, e che trovandosi così mutata non si reputasse degna della minima considerazione.

A pranzo scambiò poche parole con il vecchio e sua moglie, rispondendo freddamente alle loro manifestazioni di affetto. Si stringeva nello scialle per ripararsi dall'umidità, e spesso volgeva gli occhi verso il giardino e rimaneva a osservare i giochi disordinati dei bambini o le galline che razzolavano sull'erba appena tagliata.

Non prestava ascolto alla conversazione. Se qualcuno le parlava, rispondeva con un cenno distratto del capo che gli altri interpretavano nel modo più appropriato all'andamento del discorso. Ma sul suo viso era qualcosa di severo, e il capitano non le pizzicò neppure una volta le braccia sotto la stoffa un po' lisa del vestito. Aveva persino smesso di chiamarla "bambina".

Il congedo fu sbrigativo. Linda si incamminò rapida verso il cancello senza più voltarsi a salutare. Walter indugiava sulla soglia. Si sentiva in dovere di giustificare il comportamento di lei, ma seppe soltanto pronunciare qualche frase confusa, qualche frammento di una spiegazione che lui stesso non possedeva.

La moglie del capitano si decise infine a venirgli in aiuto. – Non si preoccupi, figliolo caro, noi comprendiamo benissimo.

– Ma certo – le fece eco il marito.

– Vede, io credo che a furia di star sola la nostra cara Linda si sia un poco inselvatichita. Ma non stia in pena per questo: d'ora innanzi le faremo visita molto spesso.

Gli strinsero la mano di nuovo e, gli parve, con più calore del solito.

Walter aveva preso a frequentare il conte assiduamente. Beveva l'aperitivo in sua compagnia, e quasi sempre tornava a raggiungerlo dopo cena. Si stupiva che quel gran signore gli avesse dato confidenza con tanta facilità: in fondo egli era soltanto il pilota di una chiatta, eppure proprio in questo il conte sembrava trovare uno speciale motivo d'attrazione. Evitava i villeggianti che ormai gremivano l'Excelsior e con i quali non gli sarebbe stato difficile allacciare relazioni, ne accoglieva i tentativi d'approccio con indifferenza assoluta. Tutta la sua attenzione pareva concentrata su Walter: sedeva con lui al caffè fino a notte inoltrata, parlando o più spesso lasciandolo parlare, curioso di ogni particolare della sua esistenza. E al nocchiero accadeva talora di chiedersi se nell'occupazione toccatagli in sorte non si celasse una dignità che gli sfuggiva, forse addirittura una certa grandezza, inspiegabile e però sufficiente ad avvincere un tale personaggio. Ma di tutto ciò riusciva a cogliere solo il riflesso offerto dall'interesse del conte, e rispondeva alle sue domande con un vago senso di vergogna.

La predilezione che gli dimostrava poteva essere un semplice capriccio, uno di quei tratti bizzarri tipici del contegno di chi sia troppo in alto per curarsi del giudizio del mondo. Forse era una sorta di civetteria il voler mostrarsi all'ambiente raffinato dell'Excelsior con quel giovane in uniforme di pilota. Ma dal suo atteggiamento verso Walter non traspariva alcuna ostentazione, né sembrava far caso agli sguardi meravigliati che sempre salutavano la coppia così stranamente assortita.

Verso l'una il conte usciva con lui dal caffè per accompagnarlo al molo. Là gli sedeva accanto sulla panchina, aspettando l'arrivo della lancia, e si perdeva nella contemplazione del paesaggio.

– È bello – disse una volta. – E fuori del porto dev'essere ancora più bello.

– Vi porterei volentieri con me – rispose Walter, – ma voi sapete...

– Già, non potete prendere passeggeri a bordo –. Sul suo volto comparve un'espressione assorta. – Dite, non vi siete mai domandato...

– Che cosa?

– Niente.

Dopo un lungo silenzio indicò un punto lontano. – Guardate, Walter: è su quel molo che sono sbarcato.

– Lo confondete con un altro. Sono mesi, ormai, che i battelli non attraccano da quella parte.

– Ma io vi parlo di un anno fa.

– Un anno fa? – ripeté il giovane sorpreso. – Dunque non è la prima visita...

– No. Mi sono fermato qui per qualche giorno, appena tornato in patria. Poi certi affari mi hanno chiamato altrove e solo adesso ho l'occasione di rimanere un po' in questa città.

– E quanto intendete trattenervi?

Il conte non lo ascoltava. – Rammento ancora, sapete, quando il battello doppiò l'ultimo promontorio, e all'improvviso vedemmo l'insenatura del porto e le case abbarbicate sulle colline. Lei rideva della mia commozione, non poteva capire.

– Lei?

– Sì, non viaggiavo solo –. Pareva quasi irritato dalla domanda di Walter, che lo distoglieva dal ricordo in cui era sprofondato. – Mi accompagnava una signorina – spiegò in tono sbrigativo, – una straniera. L'avevo conosciuta laggiù, nel paese dove sono vissuto tutti questi anni, e avevo deciso di condurla qui.

– E ora dove si trova? Non l'avrete abbandonata?

– Comunque, non ne avrei avuto il tempo. Dopo alcuni giorni sparì e da allora non ho più saputo nulla di lei –. Tornò a volgere lo sguardo verso il molo. – Anche di là avrei potuto rendermi conto di quanto il luogo fosse mutato, ma non volevo ammetterlo di fronte a me stesso. Una volta, vedete, la collina era tutta ammantata di boschi. Vi erano pochissime case, soltanto qualche villa nascosta fra gli alberi.

– Doveva essere molto bello -- disse Walter meccanicamente. Stava inseguendo altre immagini, altri pensieri.

– Credo di sì. In ogni caso lo è per me, nella memoria. Guardate, ecco la vostra lancia.

Walter vide una sagoma chiara oltrepassare la barriera che chiudeva il porto. – Ma l'avrete cercata, suppongo.

– Chi? Ah, vi riferite a Carmen.

– Carmen?

– Ebbene, caro amico, perché quell'aria stupita?

– È... un nome insolito – articolò il giovane a fatica.

– Qui da noi certamente, ma laggiù è molto comune. La lancia si faceva sempre più vicina. Presto avrebbe accostato al molo.

– È ora che andiate – disse il conte alzandosi.

– Ma sentite...

– A domani, Walter. E buon lavoro.

Il mattino dopo, alle nove, Walter si trovava già nell'atrio dell'Excelsior in attesa del conte.

Una flora rigogliosa di piante ornamentali circondava poltrone e divani, e le fronde nascondevano a chi era seduto l'ampia scalinata di marmo che conduceva ai piani superiori. Il giovane sarebbe voluto restare in piedi, sentiva l'impulso di sfogare la sua impazienza passeggiando avanti e indietro, ma così facendo avrebbe richiamato l'attenzione blandamente infastidita dei clienti. Sedevano a coppie o a piccoli gruppi conversando a bassa voce oppure, se erano soli, sfogliavano con movimenti pigri le pagine di un giornale o di una rivista illustrata; chi aspettava qualcuno non lo dava a vedere, si abbandonava a quell'atmosfera di totale rilassatezza che vietava come indecorosa qualsiasi manifestazione di fretta o di ansietà.

Walter tentava di adeguarsi a tale atmosfera, tuttavia non poteva trattenersi dal sollevare continuamente lo sguardo dal giornale, di cui seguitava a scorrere le righe senza capire una parola di quanto vi era scritto, per lanciare occhiate furtive al grande orologio appeso a una delle pareti. Le lancette d'oro gli sembravano sempre ferme nella stessa posizione.

All'improvviso udì una voce che lo salutava, e voltandosi vide il conte in piedi accanto a lui.

– Amico mio, come mai così presto? Dovreste essere a letto a riposarvi dalle fatiche della notte.

Si affrettò ad alzarsi. – Non avevo sonno. Se permettete, vorrei fare colazione con voi.

– Ben volentieri.

E così, per la prima volta, Walter entrò nel ristorante dell'Excelsior. Le tovaglie candide risplendevano al sole del mattino la cui luce nitida penetrava dalle vetrate e giocava con le posate d'argento, con il cristallo dei bicchieri, con i piatti e le tazze di porcellana finissima.

Sedettero a una tavola. Il pilota rimaneva in silenzio, sotto lo sguardo incuriosito del conte.

– Dunque, Walter, vogliamo ordinare la colazione?

– Sì, certo. Ma posso chiedervi...

– Ogni cosa a suo tempo, mio caro. – Un cameriere si era avvicinato con il taccuino in mano. – Che cosa prendete?

– Quello che prendete voi.

– Allora, il solito.

– Ieri sera – disse Walter appena il cameriere se ne fu andato, – mi è dispiaciuto dover interrompere così bruscamente la conversazione. Era... di estremo interesse.

– Davvero? È molto bello, è raro che un giovane provi interesse per il passato. Ma evidentemente voi amate la vostra città.

– La mia città?

– Se non sbaglio parlavamo di questo. Della città com'era un tempo, prima che io partissi.

– Di questo e di altro.

– Di altro? Scusate, proprio non ricordo.

– Avete accennato a una signorina. Carmen, mi pare, o un nome del genere.

– Carmen? – ripeté il conte sorpreso.

Walter era a disagio. – Vi assicuro, non sto cercando di strapparvi confidenze sulla vostra vita privata, non mi permetterei per nulla al mondo. Mi piacerebbe solo...

– Ebbene?

– Sapere qualcosa di lei. Sapere che tipo era.

– Che tipo era? Mio Dio, una ragazza come tante. Forse più bella di tante.

– Immagino avesse i capelli neri, o magari rosso scuro.

– Siete venuto fin qui a quest'ora per parlarmi di Carmen?

– Ma no, figuratevi – rispose Walter, e non avendo il coraggio di fare ulteriori domande prese a guardarsi intorno. Per difendersi dal sole alcuni clienti, le donne soprattutto, avevano chiuso i tendaggi. Si era creato così, in certi angoli, un pulviscolo luminoso dove i contorni sfumavano, e le figure vestite di chiaro che sedevano alle tavole apparecchiate si scomponevano in insiemi di piccoli punti dalle tinte tenui, appena distinguibili dal bianco delle pareti. Sembravano acquerelli o disegni ornamentali tracciati con matite dal segno leggerissimo.

Infine giunse un cameriere portando il vassoio con la colazione. Adesso Walter aveva di che parlare senza correre il rischio di mostrarsi indiscreto o di scivolare in temi sgraditi.

– Come vi pare il caffè? – chiese il conte.

– Eccellente, davvero eccellente. Ma se fossi in voi lo allungherei con un po' di latte.

– Ah, no, caro amico: nel mio paese d'adozione mi sono liberato da questa abitudine. Laggiù il caffè si beve nero, amaro, e una simile brodaglia non sarebbe certo giudicata "eccellente".

– Molte cose devono essere diverse, laggiù – commentò Walter. Fece una breve pausa. Temeva di suscitare di nuovo il fastidio del conte, ma non seppe trattenersi. – Ad esempio le donne.

– Sì, forse anche le donne. Mio caro, non vi sapevo così invaghito del bel sesso. Permettetemi di dirvi che tali inclinazioni non si addicono affatto a un uomo appena sposato.

Walter arrossì. – Voi mi fraintendete. Se ho accennato alle donne straniere, è perché...

– Lo so – fece il conte in tono di ironica sopportazione. – È perché vi ho parlato di Carmen. Tuttavia non riesco a capire il motivo della vostra curiosità.

Lo disse senza alcuna sfumatura interrogativa, più per troncare il discorso che per avere una risposta. Quindi passò a esaminare il contenuto del vassoio, e Walter osservò a sua volta ammirato le piccole ciotole colme di miele e di confetture delle più svariate qualità, e i fiocchi di burro modellati con una precisione che aveva dell'inverosimile, adagiati in un piattino d'argento. Non osava toccare nulla, attendeva fosse il conte a servirsi per primo.

– Dite – azzardò, – non avete mai pensato che potrebbe essersi stabilita qui, in questa città? Magari sotto falso nome?

– A quanto vedo, persistete a interessarvi di Carmen. No, mio cocciutissimo amico, non ci ho mai pensato –. Prese dal cestino una fetta di pane. – Ma è possibile – aggiunse con indifferenza.

Vi fu un altro silenzio, mentre i due uomini imburravano il loro pane tostato.

– Ancora un po' di caffè?

– Sì, Walter, vi ringrazio.

Il giovane impugnò il bricco che ancora fumava e con cautela ne versò il liquido nella tazza del conte. – Sapete, anch'io ho sposato una straniera.

– Io non ho sposato nessuna straniera.

– Solo da parte di madre. Si chiama Linda.

– Un bel nome – osservò l'altro cortese.

– Sì, per quanto... Certo non è da paragonarsi... Comunque è un'ottima moglie, non me ne posso lamentare. Ha le sue fissazioni, come tutte le donne, ma per il resto...

– È graziosa?

– Lo era quando l'ho sposata. Adesso non so.

– Credo che questo sia uno dei principali inconvenienti del matrimonio.

– E Carmen era graziosa?

– Ah, ma è una persecuzione, la vostra!

– Scusate – disse Walter confuso, – io volevo soltanto...

Ma con sollievo vide il conte sorridere. – Caro amico, cercate di ragionare. Se non fosse stata graziosa, l'avrei forse condotta con me attraverso l'oceano? E poiché non l'ho sposata, posso presumere che mentre noi conversiamo lei seguiti, chissà dove, a essere graziosa –. Si interruppe e portò la tazza alle labbra. – Ma voi mi costringete a parlare di un argomento che mi annoia profondamente, e intanto il caffè si raffredda. Sentite? Ormai è del tutto imbevibile.

I discorsi del conte avevano risvegliato violentemente in Walter il ricordo di Carmen, del braccio bianco, della spirale d'argento, e tornò a considerare la moglie con quello stato d'animo dubbioso, in bilico fra certezza e disillusione, con cui la considerava prima del matrimonio. Di nuovo si domandava quale fosse la sua vera identità, da dove venisse, perché fosse capitata proprio allora nella saletta dell'Excelsior. Si domandava cosa si nascondesse dietro il suo aspetto sempre più dimesso, dietro i lunghi silenzi. La freddezza che andava manifestando verso di lui poteva essere una sorta di fedeltà all'antico amore, al biondo gentiluomo con il quale il pilota non osava sperare di competere, e l'arrendevolezza nell'accogliere la sua domanda di matrimonio una conseguenza di questa passione delusa. Forse sposandolo aveva voluto soltanto degradarsi, così che alla desolazione interiore per la perdita dell'uomo amato corrispondesse una condizione di vita altrettanto desolata e priva di speranze.

Ma poi la guardava, ne osservava i gesti tranquilli, ascoltava il fruscio monotono delle pantofole trascinate da una stanza all'altra, e non riusciva più a credere che in lei si celassero sentimenti del genere.

Per dissipare quell'incertezza gli sarebbe bastato invitare il conte a casa sua, tuttavia esitava. L'idea di ricevere l'amico aristocratico nel misero alloggio dove viveva lo colmava di vergogna; temeva, così facendo, di aumentare la distanza che li divideva e che sulla terrazza dell'Excelsior in qualche modo si attenuava, tanto da consentirgli a volte di dimenticarla. Per giunta si chiedeva cosa sarebbe accaduto se davvero il conte avesse riconosciuto in Linda la donna condotta con sé dalle terre d'oltremare.

Ma alla fine il desiderio di sapere ebbe il sopravvento e il giovane, pur con una certa timidezza, si decise a proporgli di andare a cena da lui. L'altro accettò subito, senza traccia di degnazione.

All'ora stabilita Walter andò a prenderlo all'albergo. Attraversando la città era preda di una tale agitazione che stentava a proferire parola, e le poche frasi pronunciate risultavano un mormorio incomprensibile, culminante spesso in una risatina acuta e nervosa.

Il conte lo scrutava perplesso. – Ditemi, qualcosa non va? Se non vi sentite bene, possiamo rimandare.

– No, sto benissimo – si affrettò a rispondere. Aveva paura di non trovare il coraggio necessario per rinnovare l'invito.

Infine giunsero davanti all'edificio dove Walter abitava. Questi fece scattare la serratura arrugginita del portone e guidò l'ospite su per le scale, e poi nel solaio dove pendevano i panni stesi. Linda li aveva uditi salire e attendeva sulla soglia. Benché indossasse uno dei suoi abiti di seta aveva un aspetto trasandato, e le spalle erano avvolte come sempre nel vecchio scialle di lana.

Il marito la guardò con disappunto. Temendo che il conte la scambiasse per una domestica, era impaziente di fare le presentazioni in modo da evitare l'equivoco. Ma mentre si avvicinavano la donna mosse qualche passo verso di loro nella penombra della soffitta e i suoi capelli apparvero bruni e fiammeggianti come quelli di Carmen.

Walter osservò il conte salutarla con un inchino cortese: non tradiva il minimo stupore e anche lei manteneva la consueta impassibilità.

Dunque non è Carmen, pensò seguendoli nella piccola anticamera. Oppure è talmente mutata da non essere più riconoscibile, ormai sommersa del tutto dalla triste identità di Linda.

Gli occhi nocciola, le labbra pallide atteggiate a un sorriso di circostanza, non lasciavano trasparire nessuna emozione, la vista dell'ospite non pareva suscitasse echi nella sua memoria. Tuttavia era sempre difficile indovinare i sentimenti di Linda, così avvezza a nasconderli sotto una coltre di indifferenza, e il conte poteva aver deciso di soffocare la propria meraviglia per risparmiare agli altri e a se stesso una spiegazione imbarazzante. Insomma, quell'incontro risolutivo sembrava destinato a non risolvere nulla. Walter si rimproverò dell'ingenuità che aveva dimostrato aspettandosi una drammatica agnizione, l'emergere improvviso dalle ceneri di Linda della figura di Carmen, finalmente disvelata senza possibilità di dubbio.

La moglie annunciò che doveva andare in cucina per completare i preparativi della cena. – Prima di tornare, vedi di toglierti quello scialle – le disse lui sottovoce. Colse un'espressione divertita sul viso del conte e si vergognò pensando avesse udito.

In salotto notò con sorpresa che non mostrava di riconoscere neppure i mobili. Anche questo era comprensibile: così rovinati, presentavano ormai con l'arredamento della Villa tutt'al più una vaga rassomiglianza, che poteva benissimo sfuggire a un osservatore distratto.

Ma quando oltrepassarono il tramezzo per entrare nella sala da pranzo, gli occhi del conte si posarono sulla tela raffigurante l'abbraccio di Amore e Psiche e rivolsero quindi al padrone di casa uno sguardo interrogativo.

– Vi piace? – disse Walter in fretta. – Sapete, ce l'ha procurato la Compagnia, come del resto tutti i mobili che vedete qui dentro. Figuratevi, non so nemmeno da dove provengano.

– La Compagnia... capisco – fece il conte. Ora si guardava intorno con estrema attenzione. Si avvicinò alla tavola e sollevò un lembo della tovaglia scoprendo il legno intarsiato, che sfiorò delicatamente con la punta delle dita.

In quel momento entrò Linda, senza scialle, portando una zuppiera colma di brodo fumante. L'ospite si scostò dalla tavola. – Perdonate, signora, certo mi giudicherete indiscreto. Ma vedete, è un mobile molto bello, e io ho una vera passione per le cose antiche.

– È bello, sì, ma non adatto a questo ambiente. Pensi, proviene da una villa nobiliare.

– Davvero?

Il conte quella sera mangiò pochissimo, ancora meno di Linda. Conversava garbato ora con l'uno ora con l'altra, ma gli occhi, quasi involontariamente, correvano sempre alla grande tela ingiallita da dove Amore e Psiche lo osservavano a loro volta. Quelle figure che Walter aveva sempre giudicato fredde e altezzose gli apparivano adesso circonfuse di un alone di malinconia, come due piante rare, due fiori di serra trapiantati da un destino sbadato nell'orto di un contadino.

La stessa malinconia stendeva un velo sul volto del conte, che però non esprimeva rimprovero, ma piuttosto una mite rassegnazione. Sembrava contemplare i resti profanati del suo mondo infantile con l'indulgenza dovuta agli eventi ineluttabili, di cui nessuno in particolare porta la responsabilità, meno che mai quella donnina magra dai capelli castani o il giovane pilota che ora osava appena incontrare il suo sguardo.

Quando decise di congedarsi Walter si offrì di riaccompagnarlo all'albergo.

– Grazie, mio caro, ma non è necessario. Sono solo due passi, non dovete darvi pensiero.

Salutò Linda, quindi porse la mano all'amico. Questi la trattenne fra le sue. – Tornate quando volete – disse in tono contrito. – Siete a casa vostra.

– Sono a casa vostra – rispose l'altro dolcemente, mostrando di aver compreso il significato di quelle parole. – Sono a casa vostra e appunto per questo tornerò con molto piacere.

Walter e Linda avevano lasciato aperto l'uscio dell'appartamento in modo da illuminare il solaio. Il conte lo attraversò con cautela, passando fra le lenzuola stese. Ogni tanto gli capitava di sfiorarne una e ne sentiva sulla guancia l'umida carezza.

– Ci si abitua, signore – disse fra sé. – Gradualmente.

Da allora il conte frequentò la loro casa. Linda lo accoglieva nella maniera semplice, priva di cerimonie, in cui riceveva il mago e lo scienziato, oppure il capitano e la moglie, e sembrava cieca di fronte all'abisso che separava quel nuovo conoscente dagli ospiti abituali. Così, pensava Walter, se sulla spalla le si fosse venuto a posare un uccello del paradiso lei lo avrebbe lasciato fare, con tiepida benevolenza, senza neppure accorgersi che non era il suo grigio compagno.

Tuttavia, poiché il marito l'aveva rimproverata per l'abbigliamento trascurato nel quale gli si era presentata la prima volta, in occasione delle sue visite si pettinava con più cura del solito, stendeva sul viso un velo di cipria, e giungeva persino a cambiarsi d'abito indossando un vestito di cotone stampato che Walter le aveva regalato. Era un tessuto ordinario, ma il disegno a fiori minutissimi possedeva una sua eleganza, e soprattutto non aveva l'aspetto frusto dei vecchi abiti di seta.

Linda faceva dunque del proprio meglio per ricevere il conte secondo i desideri del marito, però non gli chiese mai nulla di lui, forse perché non le importava conoscerne esattamente l'identità o forse perché la conosceva benissimo.

L'ospite la trattava con la stessa cortesia che avrebbe tributato a una gran signora, ma in sua presenza non parlava mai di se stesso né della Villa. Quando invece si trovava solo con Walter si abbandonava a lunghe rievocazioni, gli descriveva minuziosamente il parco dai viali di ghiaia e gli ampi saloni ingigantiti dal suo sguardo di bambino, al punto che una volta, in un giorno di pioggia, aveva domandato alla zia il permesso di passeggiarvi a cavallo.

– Naturalmente si mise a ridere, e io non ne capivo la ragione.

– Era una donna bellissima – disse il giovane, e subito si pentì. Ma il conte era talmente preso dai propri ricordi che non notò nulla di strano nelle parole dell'amico.

– Sì, bellissima. L'adoravo. Non immaginate quanti pomeriggi ho trascorso a frugare di nascosto fra le sue cose, sicuro di scoprirvi un segreto importantissimo. Non chiedetemi quale, non saprei davvero rispondere. Vedete, tutto quel mondo femminile era allora per me una terra ignota, misteriosa, piena di insidie e di meraviglie. Gli abiti, i cappelli, e quei flaconi di vetro di cui non comprendevo l'utilità, ma così seducenti con le loro etichette colorate e le scritte in francese... Li teneva in un grande comò insieme con lo scrigno dei gioielli.

Dinanzi agli occhi di Walter balenò chiara, come fosse stata presente, l'immagine del bambino dai capelli bianchi intento a frugare nei cassetti sfidando lo sguardo bronzeo di Medusa. – Suppongo che anche i gioielli attirassero la vostra curiosità.

– Infatti – rispose il conte. – Ma solo di rado avevo occasione di ammirarli. Il più delle volte trovavo lo scrigno chiuso a chiave.

– Vostra zia doveva possederne molti.

– Moltissimi. Collane, anelli, diademi...

– E braccialetti? Sapete, io ho una speciale predilezione per i braccialetti.

– Ebbene, in quello scrigno ce n'erano di tutti i tipi. D'oro, d'argento, lavorati in modo da imitare ghirlande di fiori, con piccoli zaffiri in luogo dei petali... Alcuni erano altissimi, di una foggia severa, quasi barbarica.

– Ce n'erano anche a forma di serpente?

– Di serpente? È probabile. Anzi, ora che mi ci fate pensare, ne ricordo uno a spirale: evocava appunto la forma di un rettile.

Il giovane gli rivolse uno sguardo di timido rimprovero. Si era persuaso che il bracciale di Carmen fosse appartenuto un tempo alla contessa e che l'erede lo avesse donato alla ragazza in uno slancio sconsiderato di generosità. Al suo posto, si diceva, non si sarebbe certo comportato con tanta leggerezza. Indubbiamente il braccio di Carmen era degno di qualsiasi ornamento, pure, con il suo apparire e scomparire, gli sembrava una collocazione troppo precaria per un oggetto che sarebbe dovuto durare in eterno tramandato da una generazione all'altra.

– Cosa succede? – chiese il conte. – Perché mi fissate in quel modo?

– Stasera – disse Walter risoluto, – verrete a cena da noi.

– Bene, poiché me lo ordinate...

Il sole era tramontato, e i due si avviarono insieme verso l'appartamento di Walter passando per il quartiere del porto.

– Quando percorro queste strade – fece a un tratto il conte, – tutto ciò di cui vi ho parlato mi appare talmente lontano, talmente perduto, che a volte dubito sia mai esistito.

Walter tacque a lungo, camminando al suo fianco.

– Vi piacerebbe rivedere l'Isola? – domandò infine.

Sperava con queste parole di risospingere la mente dell'amico verso pensieri meno tristi.

– Perché dunque credete che io sia tornato?

– Ma allora andate, noleggiate una barca...

– Non è così semplice, mio caro. Come sapete, è assolutamente proibito avvicinarsi all'Isola. Solo a voi è concesso tale privilegio.

All'improvviso Walter capì, con una certa amarezza, la ragione che aveva indotto il conte a cercare la sua amicizia. Si ricordò del breve dialogo intrecciato sottovoce con il cameriere la sera in cui si erano incontrati nella saletta dell'Excelsior. Ma tutto questo gli parve logico, naturale, e non riuscì a provare alcun risentimento. – Vi porterei volentieri, signore, ma purtroppo... – Era la prima volta dopo molto tempo che lo chiamava "signore".

– Lo so, lo so. Inoltre, non sono più tanto sicuro di voler rivedere quei luoghi.

– Dovreste andare, invece.

– Voi dite?

– Se ripartiste senza averlo fatto ne sentireste per sempre il rimpianto.

– Forse – rispose il conte pensieroso. – Ma vedete, al rimpianto sono ormai abituato e so che può essere dolce, talora persino piacevole. Mentre la delusione...

Quasi senza accorgersene erano giunti davanti alla casa di Walter. Salirono le scale, e quando furono nell'appartamento trovarono Linda nei suoi panni domestici e il brutto uccello che svolazzava libero da una stanza all'altra.

– Perdoni il disordine, signor conte – disse Linda guidando l'ospite in salotto e spiando ansiosa il volto del marito. – Non aspettavo visite.

– Per favore, cara, vai subito a rinchiudere quella bestia.

– Ma no – intervenne il conte, – per quale motivo? Non mi dà nessun fastidio, vi assicuro. Piuttosto temo di essere io a disturbare.

– Niente affatto. Se si contenta di una cena alla buona, senza pretese...

– È naturale – rispose l'ospite. A un cenno di Walter sedette su una poltrona. Sembrava assente, e le sue dita percorrevano con un moto lento le volute dei braccioli.

– Mi scusi – disse Linda, – mentre la cena finisce di cuocere vado a cambiarmi d'abito.

– Questa sera, cara, avrei piacere che mettessi il tuo bracciale d'argento.

– Il mio bracciale d'argento?

– Sì, quello a forma di serpente.

– Ma caro, non ho mai posseduto un gioiello del genere.

– Eppure l'avevi, all'Excelsior, il giorno in cui ci siamo conosciuti.

– Davvero? Può darsi che me l'avesse prestato un'amica.

Parlava con voce tranquilla, senza imbarazzo, e questo indispettiva Walter. – Quale amica? – chiese brusco. – Come si chiamava?

– Non ricordo.

– Carmen?

– Non conosco nessuna Carmen.

– Dovete compatirlo – disse il conte. – Vostro marito è evidentemente vittima di un'idea fissa, e per giunta non della sua, ma di quella di un altro. Sì, la si potrebbe definire un'ossessione per interposta persona.

Negli ultimi tempi, dalla chiatta, Walter osservava con maggiore attenzione la sagoma scura dell'Isola, cercando di discernere alla luce dei fari i viali di ghiaia che, come gli aveva detto il conte, attraversavano il parco da un capo all'altro per consentire piacevoli passeggiate sotto l'ombra antica degli alberi. La vegetazione, crescendo disordinatamente, doveva averli in gran parte cancellati, tuttavia gli pareva di scorgere qua e là qualcosa di bianco nel verde cupo del bosco. Una di quelle macchie bianche poteva essere la piazzuola con la panchina di marmo dove il conte e la contessa si erano fatti ritrarre, in un giorno remoto, insieme con il nipote. E sempre, osservando, avvertiva come una traccia della loro presenza, una traccia vaga, imprecisabile, che però bastava a conferire a quel luogo abbandonato il fascino della bellezza in declino.

Anche la Villa serbava una certa grazia, e la monotonia dei vecchi muri senza finestre era mitigata dalle balaustre dei balconi e da contorti ricami di glicine sulla facciata.

Per vedere meglio tutto questo Walter, una notte di luna piena, aveva lasciato il cassero e aveva percorso il ponte. Dal boccaporto salivano lamenti appena udibili, soffocati dal rumore delle macchine con il quale si fondevano, producendo un suono grave che pareva sgorgare dalle buie profondità del fiume.

Walter non vi badò e raggiunse la prua della nave. Là, i gomiti appoggiati al parapetto, si abbandonò alla contemplazione dell'Isola. Cercò di immaginare il conte bambino giocare fra gli alberi del parco e la contessa, affacciata a un balcone, seguirne i movimenti con i grandi occhi neri. Immaginò il quadro di Amore e Psiche, dai colori ancora vivi e brillanti, pendere a una parete in un salone tappezzato di damasco come il caffè dell'Excelsior, e la tavola intarsiata con il piano lucido e le quattro gambe tutte della stessa lunghezza, e le poltrone foderate di stoffe preziose, senza rammendi. Immaginò il letto accogliere sotto il suo baldacchino i sonni della nobile coppia e di fronte, racchiuso nel comò, lo scrigno dei gioielli con il bracciale a forma di serpente. Ogni particolare di quell'esistenza trascorsa gli sembrava riprendesse vita, come se l'Isola in segreto fosse sempre rimasta qual era allora, e per anni non avesse fatto altro che attendere lo sguardo capace di scoprire dietro l'apparenza ingannevole del cambiamento la sua essenza immutabile, eternamente identica.

Una voce brusca lo riscosse. – Dica, cosa le è saltato in mente? Chi l'ha autorizzata a uscire dalla cabina?

Walter si voltò e vide uno degli uomini del secondo equipaggio. – Perché? – rispose stupito. – Non è lo stesso se aspetto sul ponte?

– Nossignore, non è lo stesso. Lo sa che il motore potrebbe spegnersi?

– E con questo? Non corriamo certo il rischio di affondare.

– Non stia a discutere – ribatté il marinaio seccamente, – faccia come le è stato ordinato. La Compagnia, caro signore, non la paga perché lei stia qui fuori a guardare le stelle.

Il giovane era profondamente offeso da quei modi, ma non aveva voglia di litigare. – Vorrà dire che ne parlerò al capitano e gli chiederò come devo regolarmi. Prendo ordini da lui, e da nessun altro.

L'uomo si strinse nelle spalle. – Ne parli con chi le pare. La nave è pronta, aspetta soltanto lei.

La luce dell'alba si diffondeva già nel cielo quando Walter sbarcò, mentre la chiatta vuota proseguiva il suo viaggio trainata da un rimorchiatore.

Si diresse verso gli uffici, deciso a riferire subito al

capitano gli avvenimenti di quella notte. Turbato com'era, non notò nemmeno che l'edificio della Compagnia aveva le porte sprangate. Se ne accorse soltanto dopo aver tentato invano una maniglia.

Senza una ragione precisa si avvicinò alla finestra della stanza del capitano. Attraverso i vetri si intravedeva appena la sagoma nera della scrivania: sembrava un enorme catafalco eretto per un morto che nessuno vegliasse.

Non si sentiva di andare a casa, e prese a passeggiare lungo il bordo di cemento che segnava un netto confine tra l'acqua e la terraferma. Il sole emergeva lento da dietro le colline e intanto l'agitazione del giovane cresceva. Il suo oggetto non era più il contegno del marinaio, ma qualcosa di inafferrabile. Attendeva con ansia il capitano per ottenere risposta a una domanda che non era neppure in grado di formulare, una domanda il cui contenuto gli sfuggiva e insieme lo opprimeva.

Tornò sui suoi passi e sedette davanti al molo della Compagnia, volgendosi di tanto in tanto verso gli uffici deserti. Da lontano, dal campanile della cattedrale, giunsero sei rintocchi. "Fra poco arriverà qualcuno," si disse.

Le navi andavano e venivano, il porto si era ormai popolato della folla consueta dei marinai e degli uomini di fatica, e Walter guardava i loro volti mal rasati che in quel tenue chiarore assumevano una tinta spenta, esangue.

Dalle caldaie dei battelli e delle navi da carico si levava un sordo brontolio e le ciminiere intorbidavano il cielo con lunghi sbuffi di fumo. Talvolta un'imbarcazione solcava veloce l'insenatura del porto, diretta a valle, al grande estuario dove la corrente del fiume si perdeva in quelle molteplici dell'oceano. Oppure risaliva a monte, verso la sorgente remota che nessuna nave avrebbe mai potuto raggiungere; scompariva dietro l'ansa e ben presto avrebbe costeggiato la massa verde dell'Isola.

Quando il campanile batté sette rintocchi il giovane si risolse ad alzarsi e a prendere la via di casa.

Allungò la strada per passare davanti all'Excelsior. Le imposte, ai piani superiori, erano ancora chiuse, e un uomo anziano in divisa da fattorino spazzava il marciapiede intorno all'ingresso. Dietro l'ampia vetrata di un salone si scorgeva un panno che disegnava cerchi umidi sulla superficie.

A quell'ora certamente il conte dormiva, e forse il sonno gli riportava le immagini della Villa quale era stata un tempo, quando ancora le chiatte della Compagnia non turbavano con il loro andirivieni la quiete delle acque e tutto era ozio e serenità, e viali ben tenuti, e ridenti giardini. Avrebbe voluto insinuarsi in quel sogno, in quelle memorie infantili che rifluivano nella mente del conte addormentato, ma sentiva ormai di non potervisi accostare senza portare con sé la polvere grigia del porto. Si depositava su ogni cosa, persino sui ricordi, e avvolgeva anche la Villa in un presente angusto il cui interminabile affaccendarsi annullava il passato.

Poco prima gli era sembrato che la Villa avesse atteso anni e anni il suo sguardo per poter rivivere. Ora si accorgeva di contribuire lui stesso, con la chiatta, con il rombo del motore, all'opera di profanazione compiuta laggiù. Il suo sguardo di estraneo distruggeva, contemplandole, le immagini sulle quali si posava: gli pareva d'essere un violatore di tombe spinto da una curiosità cieca a sollevare il coperchio di un antico sarcofago e di veder disintegrarsi in un attimo il corpo che per millenni vi era stato custodito.

Non certo la sua, ma soltanto la presenza del conte avrebbe forse potuto ridare la vita, almeno per qualche istante, a quelle fragili reliquie. Decise di condurlo sull'Isola. Ne avrebbe parlato al capitano la sera stessa, e gli avrebbe parlato anche dell'episodio del marinaio che pure, con il trascorrere del tempo, era passato in seconda linea fra le sue preoccupazioni.

Stabilì di far colazione all'Excelsior e varcò la porta girevole. L'atrio era deserto; solo il portiere, da dietro il banco della reception, lo squadrò con diffidenza.

– Il signore desidera?

Walter chiese del conte e gli fu risposto che non era ancora sceso.

– Vorrei fare colazione.

– A quest'ora il caffè è chiuso, signore, se vuole accomodarsi nella sala del ristorante...

Vedendo che il portiere stava per lasciare il suo posto, Walter lo fermò con un gesto. – Grazie, conosco la strada.

– Veramente la sala sarebbe riservata ai clienti dell'albergo, ma poiché lei è un amico del signor conte... – Lo disse in tono riluttante, come chi si trovi costretto ad ammettere la realtà di un fatto inverosimile, e intanto osservava perplesso la divisa azzurra del pilota, stirata ogni giorno da Linda con la massima cura.

Nel ristorante le tavole, non ancora apparecchiate, mostravano i piani di legno lucido. Walter ne scelse una di fronte a una finestra sulla piazza e in attesa del cameriere guardava distratto i rari passanti. Alcuni procedevano frettolosi, come spronati dall'aria pungente, altri sostavano per un momento dinanzi all'Excelsior levando gli occhi sulla bianca facciata, quasi volessero indovinare i fasti inaccessibili che si celavano dietro quel muro.

A un tratto da un vicolo laterale sbucò la figura familiare di Linda, vestita di quanto rimaneva di uno dei suoi abiti più belli: una seta consunta, scolorita, i cui ampi drappeggi mettevano in risalto la magrezza del corpo.

Sorpreso, Walter si alzò e si avvicinò alla finestra per seguire meglio i suoi movimenti. La vide giungere di fronte all'ingresso dell'Excelsior e qui fermarsi esitante.

"Viene dal conte," pensò. Ma ebbe appena il tempo

di concepire questo sospetto che Linda riprese il cammino e si allontanò a passi rapidi.

Rincasò alle dieci. Walter le andò incontro sulla porta e fece per abbracciarla, ma lei si ritrasse.

– Che ti prende? Sono tornato da un pezzo, le mani le ho già lavate.

Senza rispondere Linda entrò nell'appartamento e si avviò verso la cucina. Il marito notò che con una mano reggeva una grossa sporta di vimini.

– Dove sei stata? – chiese, sforzandosi di assumere un atteggiamento di noncuranza.

– Al mercato, a far spese.

– Ah, davvero? Hai trovato qualcosa di bello?

Linda posò la sporta e cominciò a estrarre ad uno ad uno i suoi acquisti, per lo più generi alimentari e qualche capo dozzinale di biancheria. – Niente di speciale, come vedi. In compenso ho incontrato la moglie del capitano. Mi ha quasi costretta a invitarli a cena per questa sera.

– Questa sera? – fece Walter allarmato. – Ma deve venire il conte, lo sai bene.

– E allora? La nostra tavola è grande abbastanza. E poi, se non sbaglio, fosti tu a dire che dobbiamo essere gentili con loro.

Il volto di Linda era impenetrabile come sempre, e lui si domandò se fosse veramente così ottusa da non avvertire l'incompatibilità assoluta fra il conte e quella coppia volgare, o se invece fingesse soltanto di non capire per metterlo in difficoltà. A volte gli pareva volesse punirlo per una colpa che egli ignorava.

In ogni caso, pensò, ormai era inutile discutere: l'invito era stato fatto, non si poteva certo disdirlo.

Terminata la colazione, andò in camera e si coricò

nel letto a baldacchino. Stava su un fianco, rivolto verso la parete per non essere disturbato dalle sottili lame di luce che filtravano attraverso le imposte chiuse. Prese a considerare in ogni dettaglio la topografia della città: voleva stabilire se per recarsi di lì al mercato fosse indispensabile passare davanti all'Excelsior, ma fu colto dal sonno prima di giungere a una conclusione definitiva.

Allora sognò Carmen. Niente nel suo aspetto la distingueva da Linda, tuttavia egli era certo che si trattasse di Carmen. Portava un abito senza maniche, e il bracciale d'argento scintillava nell'oscurità.

Walter scorse da lontano la sua figura, mentre con la chiatta avanzava verso l'Isola da una parte che non aveva mai veduta e che offriva un facile approdo. La donna attendeva in piedi, gli faceva cenno di avvicinarsi muovendo lentamente il braccio ingioiellato.

– Signora contessa! – chiamò lui dalla nave, e decise di spegnere il motore perché sapeva che così sarebbe arrivato più in fretta.

Era sul punto di approdare, quando l'uccello di Linda lo svegliò sfiorandogli una guancia.

Quella sera andò a prendere il conte all'Excelsior, e strada facendo lo informò in tono di scusa che a casa sua avrebbe trovato il capitano con la moglie. – Non sono stato io a invitarli. La colpa è tutta di Linda.

– La colpa?

– È gente troppo rozza per poter frequentare una persona come voi.

L'altro piegò le labbra in un sorriso senza allegria. – Siete gentile. Gentile e molto ingenuo.

– Se ritenete sia ingenuo vedere le cose come stanno in realtà...

– In realtà, Walter, le cose stanno in maniera esattamente opposta a come ve le figurate. Dopotutto, in questo paese io non possiedo nulla salvo il nome che porto e che presto sarà dimenticato, mentre l'ospite per cui manifestate così poca stima è un personaggio potente, il rappresentante della Compagnia.

– L'erede della contessa – aggiunse Walter amaro.

– Del conte, caro amico, del conte. Da queste parti, che io sappia, la successione è patrilineare.

– Ad ogni modo, quell'uomo e la sua Compagnia hanno trasformato la Villa in un deposito per il bestiame. O peggio.

Il conte gli rivolse uno sguardo intenso. – La Compagnia si occupa dunque di bestiame?

– E di molte altre cose, suppongo. Credevo di avervene già parlato.

– Sì, naturalmente. Perdonate la mia distrazione.

Camminarono in silenzio, inoltrandosi nei vicoli dove i muri alti delle case nascondevano quasi del tutto il cielo coperto di nubi.

– Perché siete tornato? – chiese a un tratto Walter.

– Ve l'ho detto, per rivedere l'Isola. Ma a quanto pare è impossibile.

– Vi ci condurrò io.

– Grazie, ma non so più... Comincio a pensare che non sia bene.

– Sbagliate, sarebbe senz'altro un bene. Per voi, e anche...

– E anche?

– Sarebbe un bene, – Avrebbe voluto dire, – anche per la Villa, – ma temeva di apparire ridicolo.

– Vi prego – rispose il conte grave in volto, – ne abbiamo già discusso a sufficienza.

Giunti nella strada dove Walter abitava, videro una carrozza chiusa fermarsi proprio davanti al suo portone. Ne uscì un vecchio che porse la mano a una donna grassa e l'aiutò a scendere faticosamente dalla vettura.

– Eccolo.

– Chi?

– Se ve ne ho appena parlato! Il capitano, l'ospite che attendevamo.

Il conte lo fissò incredulo, poi scoppiò a ridere. – Così quello sarebbe... il rappresentante della Compagnia?

– Lo immaginavate diverso?

– Ah, caro amico, voi forse ignorate ancora come sappia essere buffa la vita. E a sorpresa, per giunta, quando uno meno se l'aspetterebbe. Non c'è che dire, è davvero una gran commediante.

Si accostarono alla coppia e il giovane fece le presentazioni. Il conte baciò la mano tozza che la moglie del capitano gli tendeva, le offrì il braccio e la guidò con cortese premura su per le scale. Walter salì adagio, lasciando scomparire i due oltre la prima rampa: voleva rimanere solo con il suo superiore per riferirgli quanto era avvenuto davanti all'Isola la notte precedente.

– Figliolo – disse il capitano con un sospiro dopo averlo ascoltato, – perché vuole crearmi grattacapi? Ne ho già abbastanza, mi creda, senza che ci si metta anche lei.

– Quali grattacapi? Semplicemente, non riesco a capire...

– Non c'è nulla da capire. Lei esegua il suo compito, come io eseguo il mio.

– Però...

– Andiamo, non vorrà fare attendere le signore.

A tavola i due ospiti si osservavano a vicenda, il conte discretamente, distogliendo lo sguardo appena incontrava quello del vecchio, il capitano con la bonaria sfacciataggine che gli era consueta, piantando gli occhi dritti sul volto dell'altro.

– Il suo nome – disse dopo un po', – non mi giunge nuovo. Ho l'impressione di averla già veduta da qualche parte.

– Il signore è un nipote della contessa – spiegò Walter. – O più esattamente del conte. Insomma, appartiene alla famiglia degli antichi proprietari della Villa.

– Davvero? – fece il capitano, inforcando gli occhiali per esaminare meglio il commensale. – È sbalorditivo! Si figuri, credevo che la famiglia fosse del tutto estinta.

– Non del tutto, signore – rispose il conte. – Non ancora. Bisognerà pazientare per qualche decennio.

– Per cent'anni, glielo auguro di cuore – esclamò l'altro cordiale. Non pareva che il rango dell'ospite destasse in lui la minima soggezione, e Walter si domandava preoccupato se al dessert sarebbe arrivato a battergli le solite manate sulle spalle.

– E dica – proseguì il vecchio in tono mielato, – per quale ragione è ritornato in città? A cosa dobbiamo l'onore?

– Il signor conte – intervenne Walter, – vorrebbe visitare la Villa.

Il capitano indirizzò al gentiluomo uno sguardo intenerito. – Naturale: ritrovare i luoghi perduti della fanciullezza. È un desiderio bello e nobile.

– Nobilissimo – fece eco la moglie posando affettuosamente la mano su quella del conte.

– Nonché un diritto sacrosanto di qualsiasi essere umano.

– Hai detto bene, caro, un diritto sacrosanto.

Walter era lieto che le cose si prospettassero così semplici. – Allora, se permettete, lo accompagnerò io.

– Dove vorrebbe accompagnarlo?

– Ma... sull'Isola, ovviamente.

Il vecchio scosse il capo con aria afflitta. – Purtroppo, figliolo, non è possibile.

– Non è possibile? Se lei stesso, un attimo fa...

– Io parlavo in generale, in via di principio. Nel caso specifico la questione assume tutto un altro aspetto. Lei dovrebbe sapere, Walter, che è assolutamente vietato condurre estranei sull'Isola.

– Nel caso specifico, signore, non si tratterebbe di un estraneo.

Il capitano si rivolse al conte. – Mi creda, comprendo benissimo il suo desiderio, e se dipendesse da me... Ma gli ordini sono ordini.

– Capisco – rispose l'altro indifferente. – Del resto, non ha più molta importanza.

– Ah, sono lieto che ne convenga anche lei. Vede, quel luogo è ormai completamente diverso da come lo ricorda, non varrebbe la pena di visitarlo. Non perde nulla, le assicuro.

– Ne sono convinto.

– Piuttosto – intervenne la moglie del capitano, – perché non viene a trascorrere un pomeriggio da noi, in campagna? Questa sì sarebbe una gita piacevole.

– È un'ottima idea – disse il marito di rincalzo. – E naturalmente anche i nostri sposini sono invitati. Altro che Villa, caro signore: da noi scoprirà le gioie semplici e schiette della vita agreste, potrà assaggiare le verdure che abbiamo coltivato noi stessi. Teniamo un piccolo orto dietro la casa.

– E i tacchini, e le galline... – aggiunse la donna in tono estatico.

– Da vivi, bisogna ammetterlo, non fanno una gran figura, ma arrostiti sono una delizia.

Il conte declinò gentilmente l'invito, dichiarando di dover ripartire assai presto e di avere ancora diverse faccende da sbrigare in città. I due lo guardarono costernati, come se fosse stata loro annunciata l'imminente separazione da un amico carissimo.

– Oh – fece il capitano – è un peccato che lei debba lasciarci. Però tornerà, immagino.

– Non so.

– Certo che tornerà, glielo dico io. Si ha un bel vagabondare di qua e di là, in giro per il mondo, ma alla fin fine chi può resistere al richiamo della terra patria?

Walter aveva lasciata aperta la porta del cassero e navigando tendeva l'orecchio per udire i suoni che giungevano dal boccaporto. Percepiva soltanto un lungo lamento. Si domandò da quale specie di animali provenisse: non somigliava al muggito profondo dei buoi, né alla voce acuta e tremula delle pecore, né ad alcun verso che gli fosse familiare.

Il fiume in quel tratto era agitato ed egli doveva restare al timone, ma continuava a pensare alla stiva buia e al carico custodito sotto le assi del ponte.

Non sapeva precisare a se stesso le ragioni della sua inquietudine. In fondo, rifletteva, cosa importa che siano buoi, o pecore, o altri animali? Tuttavia, all'improvviso non capiva più come avesse potuto navigare per anni, notte dopo notte, trasportando un carico del quale ignorava la natura. All'improvviso tra la Villa, severa e lugubre con le sue finestre murate, e la dimora patrizia conosciuta attraverso le descrizioni del conte era cessato ogni legame. Non riusciva più a figurarsi il bel viso della contessa affacciato al davanzale, e i rami rinsecchiti dei rampicanti adesso gli parevano graffi, sfregi inferti di proposito agli antichi muri da una mano ostile.

I suoni salivano confusi dalla stiva. Se fossero voci umane, pensò, parlerebbero forse della Villa e del segreto che vi si nasconde. Ma sono soltanto versi, versi animali, appena distinguibili dal cupo mormorio del motore. Buoi, pecore, cavalli, o qualche altra bestia. Esseri senza coscienza, forse senza dolore, certamente ignari della meta del loro viaggio. Nulla sapevano dell'Isola, della Compagnia, e del grande, cieco edificio che li attendeva.

Almeno in questo la loro condizione non differiva dalla sua. Lo pensò dapprima con dispetto, poi con una sorta di crescente ansietà. Decise che, giunto di fronte all'Isola, avrebbe gettato l'ancora e sarebbe uscito sul ponte. Avrebbe spento le macchine, deliberatamente, per sfidare la reticenza del capitano e l'arroganza degli uomini del secondo equipaggio.

Nell'istante in cui formulò questo proposito si sentì invadere da un timore inspiegabile. Risalì veloce la linea del fiume, impaziente, spingendo al massimo il motore. I vetri del cassero tintinnavano come se fossero stati sul punto di andare in frantumi, e un tremore convulso scuoteva le assi del ponte e faceva cigolare la grata di ferro. Walter seguitava ad accelerare: voleva compiere subito quell'azione proibita per liberarsi dal senso d'oppressione che lo dominava sempre più intenso.

Ma quando fu dinanzi all'Isola vide l'altra nave dirigersi rapidissima verso di lui. Dopo pochi secondi aveva già accostato.

Non gli rimase che scambiare un freddo saluto con i marinai e ripartire alla volta della città sulla chiatta vuota, dalla stiva silenziosa.

A colazione non mangiò quasi nulla. Linda gli si affaccendava intorno come al solito, senza parlare, e non mostrava di accorgersi del turbamento che pure, ne era certo, doveva leggersi sul suo volto.

Prima di coricarsi si fermò per un momento davanti allo specchio e si scoprì pallido, le pupille dilatate. Tuttavia non provava stanchezza. Si distese sul letto, ma non riuscì a prendere sonno: udiva ancora il rombo del motore e il suono confuso proveniente dalla stiva, rivedeva la grata chiusa che segnava il confine di un'oscurità impenetrabile.

Ripensando alla vecchia fotografia, quasi dimenticata nel cassetto del comò, fu assalito da un violento senso di colpa. Si accorse che le Meduse lo guardavano con avversione, e si voltò dall'altra parte, verso il muro. Sentiva nemico anche il buio della stanza, troppo simile, pur nella sua quiete raccolta, alla scura distesa che lo avvolgeva sul fiume.

Infine si alzò e andò ad aprire le imposte. Ai suoi piedi la città spalancò di colpo una fuga di tetti, ora rossi, ora grigi d'ardesia, in declivio verso il porto dove le gru sollevavano le lunghe braccia in gesti lenti e privi di significato. A volte invece gli pareva indicassero di là dall'ansa, in direzione dell'Isola, e allora quei movimenti meccanici acquisivano ai suoi occhi un senso preciso, come se i giganteschi macchinari del porto avessero l'unico scopo di alludere a ciò che si celava laggiù, dietro le finestre murate della Villa.

Il sole, già alto, illuminava ogni cosa di una luce rassicurante, ma Walter non si lasciava ingannare. Avvertiva sotto tutto quel chiarore la presenza della notte, costante e minacciosa. Solo l'Excelsior, forse, vi si sottraeva, resistendo a qualsiasi assedio. Là forse, sull'ampia terrazza, era davvero il giorno, e non quella luce fittizia che copriva con la sua maschera il volto immobile dell'oscurità.

Si vestì e scese in strada. Procedeva rapido superando gli altri passanti, esasperandosi per ogni ostacolo incontrato lungo il cammino. Neppure quando fu vicino all'Excelsior rallentò il passo, ma si sentì più sereno: rientrava in un mondo ordinato dove tutto aveva una spiegazione.

Sulla terrazza trovò il conte intento a sfogliare il giornale, e rispose al suo saluto con un largo sorriso.

– Voi non immaginate – disse sedendo accanto a lui, – quanto sia felice di vedervi.

Dinanzi a quell'entusiasmo l'altro assunse un'aria perplessa. – Anch'io, caro amico, sono felice di vedervi. Volete bere qualcosa?

Walter fece un cenno di diniego. Il conte aveva posato il giornale e lo scrutava con una curiosità lievemente allarmata. – Dite, per caso non vi sentite bene? Stamane siete così pallido...

– Non ho potuto dormire.

– Ah, mi dispiace. Qualche preoccupazione?

Il giovane annuì. Quelle domande stavano a poco a poco dissipando la serenità appena riconquistata, e i pensieri che lo avevano tormentato nel dormiveglia riprendevano corpo facendosi ancora più tetri nella cornice mattutina.

– Sì, sono preoccupato –. Per un attimo fissò lo sguardo in quello del conte. – E anche voi dovreste esserlo – aggiunse deciso.

– Davvero? Se lo dite voi... Ma spiegatemi almeno per quale motivo.

– La Villa.

– La Villa? Scusate, proprio non capisco.

– Credo che laggiù avvenga...

– Ebbene? Continuate.

– Qualcosa di strano – terminò Walter esitante. Non era soddisfatto di tali parole, ma non aveva saputo trovarne di migliori.

– Che posso dirvi, io non ne so niente. Ormai, vedete, sono un forestiero.

– Tuttavia, in qualche modo l'Isola vi appartiene ancora.

L'espressione del conte si fece assorta, come sempre quando la sua mente si volgeva verso il passato. – Sì – disse adagio, – l'Isola mi appartiene ancora. Ma si tratta di un'altra Isola, capite? Si tratta di un luogo diverso, inaccessibile agli estranei. La mia Isola, Walter, l'Isola che mi appartiene, voi non l'avete mai costeggiata. E credetemi, neppure la Compagnia vi ha mai messo piede.

– Per questo dunque non desiderate tornarvi?

– Al contrario. Vi torno continuamente.

Si guardarono in silenzio. Walter comprendeva l'orgogliosa rassegnazione dell'amico, ma avrebbe voluto scuoterlo, persuaderlo a venirgli in aiuto. – Voi, signor conte, avete certi diritti. Dovrebbero pur rispondervi, se esigeste di essere informato.

– Informato? Di che cosa?

– Ve l'ho già detto: di quanto accade alla Villa.

– E io vi ho già risposto che non ne vedo il motivo.

– Allora non volete sapere...

Il conte lo interruppe posandogli leggermente una mano sul braccio. – No, caro amico – mormorò. – Preferisco ricordare.

Da quando la nuova inquietudine lo aveva assalito i viaggi a bordo della chiatta apparivano a Walter straordinariamente rapidi. Non gli sembrava più di manovrare l'imbarcazione, si sentiva piuttosto trascinato con essa, sul sentiero d'acqua scura, da una volontà estranea alla quale non riusciva a opporsi.

Una volontà che si manifestava soltanto attraverso i giri del motore, veloci e imperiosi. Aveva un nome preciso, quello della Compagnia, ma il significato di tale nome si faceva nella mente di Walter sempre più sfuggente. All'alba, quando sbarcava sul molo, scorgeva da lontano gli uffici bui. Aveva smesso persino di accostarvisi, non aveva più tentato la maniglia per entrare. Nelle sale spoglie e ordinate non lo attendeva nessuno: il capitano pareva essersi volatilizzato lasciandolo solo con l'inspiegabile necessità del suo lavoro.

Così si allontanava dalle banchine attraversando come un automa la zona del porto, i vicoli squallidi e la calca grigia che ormai neppure vedeva. Camminava con le mani in tasca, diretto verso casa. Le sue dita si stringevano intorno al coltello a scatto la cui fredda durezza era l'unica sensazione definita che lo raggiungesse. Il resto era come perduto in una nebbia, nella stessa nebbia fitta che si leva dalle acque del fiume in certe notti d'inverno, simile a un vapore sotterraneo, al denso alitare di un abisso.

Lo aspettavano poche ore nel letto a baldacchino, in bilico fra il sonno e la veglia, fra i pensieri opprimenti e l'incubo nel quale temeva di precipitare se avesse chiuso gli occhi. Infine si decideva ad alzarsi e usciva per recarsi all'Excelsior.

Non avrebbe saputo spiegare perché tutte le mattine provasse il bisogno di andarci, di sedere sulla terrazza. Il conte ultimamente si mostrava di rado, e nel panorama non vi era più per il giovane nulla di rassicurante. Non poteva contemplarlo senza pensare all'Isola, senza vedersela davanti, quasi che l'ansa fosse scomparsa e il fiume si fosse raddrizzato eliminando qualsiasi soluzione di continuità fra quei due mondi inconciliabili. I camerieri che andavano e venivano nel caffè avevano adesso qualcosa di patetico nel loro portamento solenne, erano gli ignari combattenti di una guerra già perduta.

Il verde delle colline, sull'altra riva, si andava venando di bruno, e molti tavolini restavano vuoti. Presto l'elegante fauna estiva si sarebbe completamente dileguata, gli uccelli del paradiso sarebbero volati altrove, verso altri nidi. Tutto ciò avveniva ogni anno, ma questa volta assumeva per Walter un significato diverso, più minaccioso del semplice avvicendarsi delle stagioni. E negli sguardi che rivolgeva ai camerieri in giacca bianca era un'accorata solidarietà.

Un giorno, mentre così sedeva, lo scienziato gli si

avvicinò sprizzando buonumore. Quando si fu accomodato di fronte a lui, tuttavia, la gaiezza abbandonò il suo viso per lasciare il posto alla preoccupazione. – Che ti succede, Walter? Sei forse malato?

– Malato? Perché?

– Se tu ti vedessi... Bene non stai di sicuro, lasciatelo dire. M'intendo un poco di queste cose.

– Non ho nulla. Sono soltanto... stanco.

L'altro lo squadrò dubbioso. – Quand'è così, immagino che non avrai niente in contrario a bere qualcosa con me.

Chiamò il cameriere. Con suo stupore Walter, in luogo del solito caffè, ordinò un liquore forte.

Furono serviti quasi subito. – Allora, alla nostra salute – disse lo scienziato sollevando il bicchiere. Walter a sua volta sollevò il proprio, ne bevve un piccolo sorso, poi tornò a deporlo sul tavolino e rimase a fissarlo con aria cupa.

– Si può sapere cosa vai rimuginando? Vuoi forse decidere se ubriacarti o no? A quest'ora, caro mio, è proprio sconsigliabile.

– Stai tranquillo, non ci pensavo affatto.

– E a che pensavi?

Il nocchiero lo osservò a lungo, perplesso, domandandosi se fosse il caso di confidarsi con lui. – All'assurdità – rispose infine.

– Non capisco. All'assurdità di che cosa?

– Di tutto – disse il giovane dopo una nuova pausa.

Lo scienziato trasse un profondo sospiro. – Per favore, cerca di essere più preciso. La parola "tutto", dovresti saperlo, non gode delle mie simpatie.

– Eppure, non potrei spiegarmi altrimenti.

– Si può sempre spiegarsi altrimenti, caro amico. Anzi, a mio parere spiegare una cosa significa soltanto esprimerla in termini diversi. Una sorta di traduzione. Non sei d'accordo?

Walter era distratto. Annuì, senza avere udito nulla di quanto aveva detto lo scienziato.

– Ebbene, traduci.

– Come?

– Trova un sinonimo, una parafrasi... Insomma, chiariscimi cosa intendi quando dici che tutto ti pare assurdo.

– Ho detto questo?

– Davvero, Walter, forse faresti meglio a consultare un medico.

Lui non lo ascoltava. – Sì, è veramente assurdo – disse piano, come parlando a se stesso, e seguitava a tenere lo sguardo concentrato sul liquido bruno che riempiva il bicchiere. – Trasporto esseri sconosciuti in un luogo sconosciuto, verso uno sconosciuto destino. Ho sposato una donna che dovrebbe chiamarsi Carmen e invece si chiama Linda... – Levò gli occhi sull'amico e lo guardò intensamente, con espressione interrogativa. – Tutto questo ti sembra abbia un senso?

– No, non ha nessun senso: tu stai vaneggiando. Perché mai, in nome del cielo, Linda dovrebbe chiamarsi Carmen?

– Hai ragione, non deve. Anzi, non può. E non può neppure portare il bracciale d'argento.

Lo scienziato si strinse nelle spalle. – Ho idea che la traduzione sia peggio ancora dell'originale.

Bruscamente Walter si chinò in avanti e gli afferrò un polso. – Dimmi, allora: cosa trasporta la mia chiatta?

– Ma... bestiame, per quanto ne so – rispose l'altro allibito. – Avrai pur letto la domanda d'assunzione prima di firmarla. Non c'era scritto così?

– Sì, c'era scritto così, è questo il nome che usano. Ma in realtà?

Lo scienziato liberò il polso dalla stretta. – Buon Dio, Walter – disse con sufficienza, – credi proprio si possano conoscere le cose come sono in realtà, di là dai nomi che abbiamo loro assegnato? Se lo chiamano bestiame, è bestiame.

– Io però non capisco.

– Non c'è niente da capire. Accettala come una definizione.

– E questo bestiame, dove lo conduco?

– Alla Villa, è ovvio. Perché ti ostini a fare domande superflue?

– Perché non so niente. Non so neppure cosa sia la Villa.

– Facile: la Villa è la Villa.

– Punto e basta?

– Punto e basta.

– Immagino si tratti di un'altra definizione.

– Di un monito, se preferisci – disse lo scienziato improvvisamente serio. – Se vuoi continuare a fare il tuo lavoro, devi imparare a tenere le mani a posto. A non raschiare la superficie delle cose per vedere che c'è sotto.

Walter prese il bicchiere e bevve ancora un sorso, più lungo del primo. – Tu lo sai, che c'è sotto?

Lo scienziato disegnò un gesto vago nell'aria. – Tutt'al più qualche essenza fumosa, di quelle con cui ama baloccarsi il nostro mago. Vale a dire, assolutamente nulla.

Appena ebbe occasione di parlare al conte Walter tentò di persuaderlo ad andare sull'Isola insieme con lui.

– Ma caro amico, sapete bene che è vietato.

– Lo faremo di nascosto.

– Perché volete esporvi a un simile rischio? Come vi ho già detto, non giudico indispensabile rivedere quel luogo.

– Eppure, – insisté il giovane, – è per rivederlo che siete tornato. È per rivederlo che mi avete...

– Me ne rincresce. Ma ormai non avete motivo di mettere in dubbio la sincerità della mia amicizia. Non continuo forse a frequentarvi pur avendo rinunciato a quello stupido progetto?

– Non è affatto stupido – ribatté Walter con calore, – e non dovete rinunciarvi. Ascoltate: noleggeremo una barca e partiremo in modo da essere di ritorno prima delle due. Se mi presenterò puntuale al lavoro, la Compagnia non sospetterà nulla.

Il conte lo scrutò. – Mi domando per quale ragione siate tanto ansioso di recarvi laggiù.

– Per rendervi un servigio.

L'altro scosse il capo sorridendo. – Non credo. Non credo proprio.

– E anche...

– Sì?

– Per sapere.

Il conte si voltò verso il fiume e parlò lentamente, senza guardare il suo interlocutore. – Avete torto, amico mio, state per commettere un grave sbaglio. Ritengo non vi sia niente, laggiù, che voi possiate sapere.

– Cosa intendete dire? Siete riuscito a ottenere qualche informazione?

– No, nessuna informazione. Semplicemente mi chiedo se tutto questo mistero, tutti i divieti che circondano l'Isola, non abbiano anche lo scopo... di proteggerci.

– Proteggerci da che cosa?

– Se ve la sentite, andate là e cercate di scoprirlo.

– Ma voi dovete accompagnarmi. Non vorrete lasciarmi affrontare da solo...

– Che cosa? – domandò il conte, poiché Walter si era interrotto.

– Quello che ignoro.

Il conte tornò a voltarsi verso di lui. – Mi state chiedendo di arrischiare tutto ciò che mi rimane.

Il pilota distolse lo sguardo. – Se non venite con me non saprete mai se vi rimane davvero qualcosa.

– Siete troppo giovane, credete ancora che la realtà possa distruggere i ricordi.

Walter approfittò subito della contraddizione nella quale il conte era caduto. – Voi credete di no? – rispose ardito, quasi aggressivo. – In tal caso non rischiate nulla, potete venire tranquillamente.

L'altro tacque a lungo, riflettendo. – Forse – disse infine. – Se per voi ha tanta importanza...

– Dunque mi accompagnerete?

Per la prima volta osservando il conte Walter lo vide vecchissimo. Appariva stanco di una stanchezza infinita, come se tutto il tempo che era trascorso impercettibilmente, diluito nella lieve successione degli istanti, si fosse andato addensando in un'unica massa gigantesca, e ora all'improvviso lo sommergesse.

– Avete idea, Walter, di quanti anni sono passati...

Ma il giovane era troppo ossessionato dalla propria angoscia per lasciarsi commuovere da quella dell'amico. – Siamo d'accordo? – disse in fretta. – Posso fare assegnamento su di voi?

Il conte esitò per un attimo, poi annuì.

Il giorno dopo Walter si incamminò per la Via degli amanti. Qui, in una piccola spiaggia poco distante dalla città, un'impresa noleggiava barche a remi ai turisti. Dalla strada scorse un capanno verniciato a strisce bianche e rosse che risaltava sopra l'ocra chiarissimo della sabbia, in un contrasto violento con le tinte già autunnali della vegetazione. Tutt'intorno si vedevano le sagome allungate delle barche, dipinte anch'esse con una mano di bianco brillante.

Scese la ripida scaletta fiancheggiata da un lato dalla parete rocciosa, dall'altro da un corrimano di metallo smaltato. Un vecchio dall'aria scostante sedeva davanti alla porta del capanno su una poltroncina la cui trama di vimini era interrotta da larghi buchi.

– Desidera? – chiese meccanicamente quando Walter gli fu di fronte.

– Vorrei noleggiare una barca.

L'uomo lo osservò con sospetto, squadrandolo da capo a piedi. Walter capì che aveva riconosciuto la divisa della Compagnia.

– Dica un po', se le serve una barca, perché non si è rivolto alla società per cui lavora?

– Io... l'ho fatto, naturalmente. Ma vede, al momento le nostre imbarcazioni sono tutte impegnate.

– Anche le mie.

– Eppure ne vedo diverse qui a riva.

– Tutte impegnate – fece l'altro secco.

Il giovane si sforzò di reprimere l'irritazione suscitata in lui da quei modi scortesi. – Ne ho bisogno soltanto per qualche ora – insisté, – e per giunta di notte.

– Di notte? E che ci va a fare di notte sul fiume? Comunque, è assolutamente impossibile: i miei rematori non lavorano dopo il tramonto.

– Non mi occorrono rematori, condurrò io stesso la barca.

Il tono del vecchio si era fatto ancora più ostile. – Glielo ripeto, non abbiamo barche disponibili. Siamo in piena stagione.

Walter si allontanò deluso, astenendosi dal ribattere che la stagione turistica era terminata da un pezzo: le imbarcazioni capovolte erano disposte sulla spiaggia in lunghe file, e uno spesso strato di sabbia si era ormai depositato sopra le chiglie offuscando il bianco della vernice.

"Che sfortuna," borbottava fra sé percorrendo la strada del ritorno, "essermi imbattuto in un personaggio così bizzoso e intrattabile."

Ma quella notte, mentre navigava, scoprì su una spiaggia fuori mano un piccolo scafo scuro che pareva abbandonato. Non vi erano edifici nelle vicinanze, né capanni, né insegne di imprese turistiche. Vedeva soltanto la barca, illuminata dai fari della chiatta.

Quando fu a terra si diresse verso la Via degli amanti. Camminò a lungo, nella luminescenza che precede il levarsi del sole, e faticò a ritrovare la spiaggia solitaria.

La barca era là, la chiglia coperta di una mano scrostata di vernice nera. Come risultava chiaramente dal suo aspetto, non veniva adoperata da molto tempo, ma non c'erano falle e il legno non era ancora marcito.

Walter concluse che avrebbe potuto percorrere in tutta tranquillità il tragitto fino all'Isola.

La sera stabilita, alle undici in punto, era già sulla spiaggia e attendeva con impazienza l'arrivo del conte. Avevano deciso per precauzione di andare laggiù separatamente. Il giovane pilota era uscito di casa portando con sé due remi acquistati giorni prima e aveva attraversato la città con il cuore in gola, nascondendosi dietro un angolo o nel vano di un portone ogni volta che udiva qualcuno avvicinarsi. Poiché dopo la spedizione sull'Isola si sarebbe dovuto presentare al lavoro, era stato costretto a indossare la divisa della Compagnia, e la sua tinta azzurra gli sembrava risaltasse troppo alla luce dei lampioni: chiunque, vedendola, lo avrebbe identificato.

Fu sollevato quando imboccò la Via degli amanti, priva di illuminazione, e più sollevato ancora quando scese sulla spiaggia. I profili delle colline si stagliavano nitidi e scuri, l'acqua era animata di riflessi, e osservando la falce di luna che spiccava nell'indaco del cielo ripensò a Carmen e al bracciale d'argento.

Il fiume non gli era mai apparso così bello, ma quella bellezza aveva qualcosa di minaccioso, come il piccolo scafo nero adagiato sulla sabbia. Nella quiete assoluta che lo circondava avvertiva una strana tensione, quasi vi fosse appostato un animale feroce pronto a balzargli addosso.

Sentiva che stava per sottoporsi a una prova e temeva di non riuscire a superarla, pur non sapendo di preciso in cosa sarebbe potuto consistere il fallimento e in cosa il successo.

Accese un fiammifero, lo accostò al quadrante dell'orologio: segnava le undici e mezzo. Il conte tardava e lui era ansioso di sottrarsi a quel silenzio. Desiderava udire la voce dell'amico, e che lo sciabordare dell'acqua agitata dai remi coprisse il mormorio regolare della corrente.

Il sospetto che il conte non venisse lo assalì improvviso. Si sentì tradito, abbandonato, confinato per sempre in quell'attesa angosciosa. Da solo non sarebbe mai andato sull'Isola: gli sembrava di non potere, di non averne il diritto.

Ed era tardi, molto tardi. I fiammiferi, che ormai accendeva l'uno dopo l'altro, gli segnalavano l'approssimarsi dell'ora in cui avrebbe dovuto raggiungere il molo della Compagnia. Se anche il conte si fosse infine deciso a presentarsi all'appuntamento, non vi sarebbe più stato il tempo di compiere il breve viaggio clandestino.

Qualche impedimento doveva averlo trattenuto. Poiché, Walter non ne dubitava, il conte era un uomo di parola e mai, se non costretto, avrebbe mancato a una promessa. Eppure ripensando al loro ultimo incontro, a quel volto stanco, disarmato di fronte alla forza della realtà, non poteva fare a meno di chiedersi se avesse avuto davvero intenzione di venire. Forse il consenso che Walter gli aveva estorto faceva parte del suo modo obliquo, indiretto di affrontare la vita, di arrendersi ad essa in apparenza per meglio sottrarvisi, per eluderne le più dure pretese.

Forse le parole definitive erano già state pronunciate sulla terrazza dell'Excelsior, la mattina in cui il conte gli aveva parlato dell'Isola, della sua Isola, inviolabile, custodita nella miniera della memoria. "Preferisco ricordare," aveva detto, e Walter non aveva saputo che cosa rispondere.

Capì di aver progettato quell'impresa quando era ormai troppo tardi, di averla proposta all'amico quando questi aveva già cessato di ascoltarlo. Adesso probabilmente era ancora in albergo, sulla terrazza oppure in camera, lo sguardo azzurro rivolto all'interno, intento a scavare in solitudine la propria miniera.

Era quasi mezzanotte. Il giovane guardò per l'ultima volta lo scafo nero e l'acqua del fiume che sembrava invitarlo con il suo mormorio, poi si incamminò per tornare in città.

All'alba, appena sbarcato, si precipitò all'Excelsior. Attraversò il grande atrio ancora deserto e giunto al banco della reception chiese di vedere il conte. Il portiere scosse la testa.

– È presto, lo so – disse Walter, – ma ho urgenza di parlargli.

– Il fatto è che il signor conte è già partito.

– Partito? – ripeté Walter sconvolto. – E quando?

– Ieri sera.

– Avrà almeno lasciato un biglietto per me.

– No, signore, sono spiacente.

– Ma forse... per mia moglie?

– Sua moglie?

– La signorina Carmen.

– Mi scusi, non riesco a capire. Sua moglie è la signorina Carmen?

– No. No, è evidente.

– E dunque...?

– Non importa.

Si avviò verso l'uscita seguito dallo sguardo perplesso del portiere. Quando fu sulla piazza si fermò, incapace di scegliere una meta. Si voltò a osservare la facciata dell'Excelsior, ma il tradimento del conte gliene rendeva insopportabile la vista, e subito distolse gli occhi.

Qualcuno lo chiamava da un punto lontano della piazza. Riconobbe la voce del mago e prese a guardarsi intorno finché scorse la figura imponente, sormontata dalla lunga chioma. Avanzava nella sua direzione. Walter mosse qualche passo per andargli incontro: forse sarebbe stato un sollievo confidargli quanto era accaduto.

A metà strada gli venne in mente che il mago avrebbe certo giustificato il comportamento del conte. Tale comportamento, avrebbe detto, come ogni altra cosa appartiene al Tutto, e nel Tutto non vi è nulla di arbitrario. Ma Walter temeva di non poter tollerare questo pensiero. La rabbia provata dapprincipio, nell'apprendere la notizia, si andava ormai spegnendo, soffocata da un senso di desolazione e di impotenza; lui si sforzava di conservarla in vita come chi tenti di tenere la testa fuori dell'acqua per non annegare.

Svoltò bruscamente, quando già si trovava a pochi metri dall'amico, e scomparve senza una parola in un vicolo laterale.

Mentre percorreva la via di casa, seguitava a pensare al conte che in quel momento sedeva forse sul ponte di prima classe di un piroscafo, immerso nell'inerte contemplazione del proprio passato. Ne rivedeva i gesti, il modo intenso di guardare, risentiva la cadenza della voce e tutto gli appariva remoto, come se abbandonandolo egli si fosse spogliato della sua realtà per mutarsi in uno di quegli esseri dai tratti indefiniti che popolano i sogni.

Si propose di strappare la vecchia fotografia appena giunto a casa, in parte per sfogare il risentimento, ma soprattutto perché si era trasformata di colpo in un oggetto insignificante, soltanto tre figure estranee sopra un rettangolo di carta ingiallita.

Le ore del giorno erano trascorse in una sorta di stordimento, e adesso Walter attendeva di fronte alla superficie notturna del fiume.

Di tanto in tanto guardava il molo che il conte gli aveva indicato la sera in cui per la prima volta, casualmente, aveva pronunciato il nome di Carmen. Un cane messo a guardia di un magazzino scandiva un abbaiare monotono e inutile come il ripetersi sempre uguale delle domande del giovane. La Villa, l'Isola, la donna dal bracciale d'argento, non si orientava più in quella sua mente abitata da immagini che gli si sottraevano. Tutto gli pareva destinato a sfuggirgli in eterno, quasi avesse sfogliato le pagine di un libro i cui caratteri non potesse comprendere ma neppure cancellare dalla memoria.

Percepì distrattamente di aver lasciato il porto e di trovarsi ora a bordo della lancia. Si accorse che il marinaio gli stava parlando.

– È una gran bella cosa – stava dicendo gioviale, – essere al servizio della Compagnia. Non crede anche lei?

– Sì.

– Provvede a tutte le nostre esigenze, ci solleva da ogni preoccupazione.

– Sì.

– E il capitano è davvero una brava persona. Quasi un padre per i dipendenti.

Walter annuì. Cinque minuti e sarebbe stato solo, nel cassero della sua imbarcazione. Asserragliato dietro i vetri chiusi, dietro il rombo del motore che copriva ogni suono, dietro il baluardo eretto dalla Compagnia fra la domanda e la risposta. Per proteggerlo, forse, come aveva detto il conte.

Quando fu sulla chiatta, pensò che il baluardo non era invalicabile.

Poco prima di doppiare l'ansa fermò la nave. Ebbe un istante di esitazione al momento di spegnere il motore, e un altro impugnando la maniglia.

Uscì in coperta e si affrettò a gettare l'ancora. La corrente era impetuosa. Walter vedeva le assi del ponte sollevarsi verso di lui come un'onda rigida che volesse travolgerlo, poi ricadere parallele alla superficie dell'acqua e poi di nuovo sollevarsi.

Giunto dinanzi al boccaporto si chinò sulla grata. Il buio là sotto era totale, e le voci affioravano appena, sommerse a tratti dal sibilare del vento. Lui le ascoltava, in ginocchio. Ora gli parevano grida di animali, ora lamenti umani pronunciati in una lingua sconosciuta, ora le due cose insieme, in un miscuglio atroce e incomprensibile. Dietro quei suoni avvertiva la presenza di un senso che non riusciva a cogliere.

Vi erano voci più gravi e voci più acute: buoi e capre, forse, o uomini e donne. Vi erano suoni lunghi e complessi, simili a frasi, e altri più brevi, come esclamazioni improvvise. E vi era in ciascuno lo stesso accento doloroso e rassegnato. Dalla chiglia della nave sepolta nell'oscurità del fiume non salivano invocazioni d'aiuto, grida di rivolta, ma soltanto gemiti sordi e senza speranza che sembravano venire da una regione situata di là dalla vita, da un inferno dove si annullassero i confini fra l'umano e il non umano.

Walter si alzò di scatto e si allontanò dalla grata. Aveva smarrito del tutto la coscienza di quanto lo circondava, e si ritrovò nel cassero senza sapere come vi fosse arrivato. L'ancora era stata levata, il motore era di nuovo acceso, le raffiche di vento filtravano dalle fessure della cabina. Lo sguardo di Walter rimaneva fisso sul boccaporto. La sua mano raggiunse la leva del comando e inserì la marcia in avanti.

Quella mattina dubitava che sarebbe mai riuscito a prendere sonno. Si accorse di essersi addormentato solo quando si ritrovò davanti all'ingresso dell'Excelsior.

Varcò la soglia e per prima cosa vide il grande banco della reception. Lo vide confusamente poiché era molto lontano, in fondo all'atrio lunghissimo; gli parve che dietro il suo piano di mogano non sedesse nessuno.

Anche le poltrone erano vuote. Fra l'una e l'altra le piante ornamentali levavano rami nudi. "Strano," pensò, "credevo fossero sempreverdi."

Cominciò a sentirsi inquieto. Desiderava lasciare quel luogo, ma sapeva di non poterlo fare. – Devo parlare con il conte – disse ad alta voce. – È una questione urgentissima.

Non ricevendo risposta si diresse verso il caffè. Il suo amico a quest'ora si trovava certamente sulla terrazza, e là egli avrebbe potuto incontrarlo e chiedergli perché fosse partito.

Le pareti delle salette erano bianche di calce. Qua e là pendeva ancora un lembo sbiadito di tappezzeria. Non vi erano tovaglie sui tavolini e dagli abat-jour veniva una luce livida. Ogni cosa pareva avvolta in uno strato di polvere, denso come la nebbia che sale dal fiume.

Udì una voce dire: – Avete idea di quanti anni sono passati... – Pensò non fosse il caso di rispondere, dal momento che nella stanza non c'era nessuno; tuttavia, riconobbe fra sé, dovevano essere passati davvero molti anni.

L'atmosfera là dentro si faceva sempre più opprimente. Decise di uscire nel parco. Avrebbe passeggiato un poco lungo i viali di ghiaia e magari, se si fosse sentito stanco, si sarebbe seduto a riposare sulla panchina.

Si accostò a una delle porte-finestre. I vetri avevano assunto una tinta lattea, erano opachi, impenetrabili allo sguardo.

Walter posò una mano sulla maniglia, ma subito la ritrasse. All'improvviso sapeva che fuori non c'era più nulla.

Da qualche giorno un vento gelido soffiava sulla città, come se il conte si fosse portavo via, verso le terre d'oltremare, gli ultimi resti dell'estate.

In cucina la stufa era accesa, eppure Linda, mentre stirava la divisa del marito, aveva talvolta un leggero brivido. Quando ebbe finito stese i pantaloni sullo schienale di una sedia per non sgualcirli, poi vi sistemò sopra la giacca e non scordò di rimettere il piccolo coltello a scatto nella tasca da cui l'aveva tolto.

Walter osservava con ripugnanza quell'abito azzurro. Vi ravvisava un'immagine grottesca di se stesso, di un se stesso che pendeva svuotato dalla spalliera della sedia, senza più carne né ossa, nient'altro che il nocchiero, il pilota della Compagnia, ridotto all'assoluta nudità della propria funzione. Non riuscì a trattenere una risata: aveva scorto a un tratto la farsa sotto la maschera austera della tragedia.

Linda lo guardava con attenzione insolita, ma non pronunciò una parola, e anche Walter mantenne il silenzio.

– È ora – disse infine, prendendo la divisa dalla sedia.

– Sì – fece lei. – È ora.

Notò che nei suoi gesti, mentre lo aiutava a vestirsi, era una lentezza strana, quasi solenne. Dopo averlo accompagnato alla porta non rientrò subito in casa, rimase a fissarlo finché ebbe attraversato il solaio. Anche l'uccello grigio lo fissava, appollaiato sulla spalla della padrona. Lui le fece con la mano un cenno di saluto e scomparve giù per le scale.

Il vento era calato, ma Walter aveva chiuso la porta del cassero: udiva soltanto, attutito dai vetri, il suono ritmico del motore.

Le nubi scorrevano lentissime nel cielo componendo figure mutevoli. Walter ne seguiva le quiete vicende sopra i crinali e a poco a poco la serenità del paesaggio si insinuava in lui. Sentiva l'angoscia che lo aveva dominato negli ultimi giorni farsi sempre più lontana, dissolversi gradualmente nella pace imperturbata di quella notte.

La chiatta gli sembrava navigasse da sola, trasportata dalla corrente, formando una totalità con il fiume, con il cielo stellato, con i dorsi delle colline. Ripensò alle opposte teorie del mago e dello scienziato e per la prima volta gli parve che i due sostenessero in termini diversi una medesima verità. La vedeva incarnata, questa verità, nel movimento della sua imbarcazione, naturale come il movimento delle nuvole.

Per la prima volta intuiva nella necessità un ordine superiore, una superiore giustizia. Ogni cosa, pensò, obbedisce alla propria legge, e dove c'è obbedienza non vi può essere colpa. Ogni cosa è parte ineliminabile del tutto, e nel tutto, nella complicità universale che lega gli esseri l'uno all'altro, colpa e innocenza coincidono. Capì quale atto di presunzione fosse tentare di distinguerle, di separare ciò che non poteva esistere se non unito. E a tale presunzione imputava ormai le sofferenze patite, i dubbi, gli incubi da cui era stato perseguitato. Non sarebbe accaduto niente del genere se si fosse limitato a seguire la corrente lasciandosene guidare, come le nuvole in cielo dal soffio pacato della brezza.

La consapevolezza del proprio errore lo rassicurò, poiché, ne era certo, gli avrebbe consentito in avvenire di affrontare la vita con il giusto atteggiamento. Stava percorrendo un tratto di fiume rettilineo e non aveva quasi bisogno di toccare il timone. Anche quando avesse dovuto girare la ruota per doppiare l'ansa che già intravedeva in lontananza, questo gesto non avrebbe richiesto da parte sua nessuna risoluzione, nessun atto preciso di volontà. Avrebbe svoltato, semplicemente, perché il fiume svoltava, e così era per ogni azione, per ogni pensiero. Non vi era nulla che non navigasse come la chiatta in un alveo già tracciato, e credere diversamente significava soggiacere a una pericolosa illusione.

Così navigava, libero dall'angoscia, fiducioso nella propria innocenza e in quella del mondo. Forse i suoi occhi videro subito il braccio sporgere dal boccaporto, ma ci volle qualche tempo perché la sensazione raggiungesse la sua coscienza.

Gli parve che la luna avesse cambiato colore all'improvviso. La sua luce si era fatta tagliente, e svelava il braccio proteso oltre la grata e la lunga spirale d'argento che lo imprigionava.

Spense il motore e si precipitò sul ponte. Dal boccaporto una voce di donna gridava qualcosa in una lingua incomprensibile.

Walter si avvicinò. Le grida si erano mutate in una cantilena avvolgente che lasciava affiorare il coro delle altre voci. Rimase in piedi, a pochi passi di distanza, e guardò nella stiva. Il volto e la figura della donna erano nascosti dall'ombra. Più sotto, nell'oscurità, si intuivano movimenti agitati.

– Carmen.

Lei si interruppe un attimo, poi riprese a parlare. Il tono era dolce e disperato, le parole che pronunciava confluivano l'una nell'altra e Walter non riusciva a coglierne l'inizio né la fine.

– Cosa posso fare, Carmen?

Senza accorgersene si era accostato al boccaporto e stava in ginocchio dinanzi alla grata. I suoni dalla stiva gli giungevano più distinti: erano suoni umani, frasi articolate in un linguaggio sconosciuto.

– Cosa vuoi che faccia? Lo sai che non posso agire diversamente.

Ora la donna tendeva verso di lui entrambe le braccia.

– Sono il nocchiero, Carmen, sono soltanto il nocchiero.

Lei gli afferrò le mani. Walter si ritrasse con un moto brusco. Una parola si era disegnata nitida nella sua mente, una parola che non aveva pensata. Gli sembrò piuttosto fosse stata la donna a incidervela con quel breve contatto.

Le braccia erano di nuovo protese verso di lui e Walter continuava a sentire dentro di sé, come ripetuta da un'eco, quella parola: "andarsene".

Prese dalla tasca il coltello a scatto e lo diede a Carmen.

Il mago e lo scienziato si incontrarono davanti al portone della casa di Walter. Si strinsero la mano in silenzio, quindi varcarono la soglia e salirono le scale camminando fianco a fianco.

– Però – disse lo scienziato fermandosi a metà della terza rampa, – non trovo giusto che ci abbiano informati solo adesso. Sarei voluto almeno essere presente.

– È stato per desiderio di Linda, così mi hanno detto. Sai, in un momento simile...

Proseguirono. Quando furono nel solaio videro la porta dell'appartamento con un battente chiuso e l'altro spalancato. Lo scienziato si fermò di nuovo.

– Che succede? – chiese il mago.

– Queste cose mi paiono tanto inutili...

– Forse. Ma bisogna rispettare le consuetudini.

Entrarono nell'anticamera, illuminata appena da una piccola lampada schermata. Dal salotto giungeva un pianto di donna.

– Dev'essere là.

– Eppure non mi sembra la sua voce.

Nella stanza trovarono il capitano seduto sulla bergère, e accanto a lui la moglie. Indossava una veste nera di velluto e con un fazzoletto si asciugava le lacrime dal viso rotondo.

Il capitano, anch'egli vestito a lutto, si alzò e andò loro incontro.

– Ah, signori, che tragedia – disse scuotendo gravemente il capo. – Chi avrebbe mai immaginato...

– Era così giovane – singhiozzò lei. – Così giovane.

– Ma avrà almeno lasciato qualcosa.

– Prego?

– Un biglietto, una lettera, per spiegare la ragione del suo gesto.

– Macché – rispose il capitano, – niente del genere. Dev'essere stata una risoluzione improvvisa. Accanto al suo corpo, sul ponte della chiatta, hanno trovato soltanto il coltello. Quello con cui si era tagliato le vene.

La donna si contorse nella poltrona. – Mio Dio, che morte raccapricciante. E quella poveretta rimasta vedova così, da un momento all'altro...

– Come sta? – chiese il mago. – Siamo venuti appunto per esprimerle le nostre condoglianze.

– Ah, è proprio un bel pensiero – disse il capitano. – Ma purtroppo la bambina è talmente affranta, non si sente di vedere nessuno.

– Dov'è?

– In camera sua. Dal giorno del funerale non si è più alzata dal letto. È mia moglie che si prende cura di lei.

– Vorremmo salutarla, informarci delle sue condizioni.

– Mi dispiace, ma come ho già detto non desidera

vedere nessuno. Quanto alle sue condizioni non c'è motivo di preoccuparsi. Non è malata, è soltanto...

– Prostrata dal dolore – concluse la moglie.

Lo scienziato prese dal taschino della giacca un biglietto di visita. – Signora, non insisto. La prego, appena possibile, di consegnarle questo da parte mia.

– Sì, e anche da parte mia – fece il mago frugandosi affannosamente nelle tasche. – Sono certo di non aver dimenticato...

– Come, non vorranno già andarsene – disse il capitano. – Restiamo un po' insieme a parlare del nostro caro Walter, del lutto che ci accomuna.

I due giovani sedettero. Guardandosi intorno lo scienziato notò qua e là, ammucchiati negli angoli della stanza, diversi bauli, valigie e casse inchiodate. Notò anche una grande tela appoggiata al muro, avvolta in fogli di giornale, e si rammentò del quadro di Amore e Psiche.

– Che significa? Linda ha intenzione di traslocare?

– Non penserà voglia rimanere in questa casa dopo quanto è successo.

– Troppi ricordi – mormorò la donna. – Troppi tristi ricordi.

– Anzi – proseguì il capitano, – ha deciso addirittura di lasciare la città.

La moglie tornò a strofinarsi gli occhi con il fazzoletto. – Le avevamo proposto di trasferirsi da noi, ma non c'è stato verso di persuaderla.

– Chissà – disse il vecchio, – forse è meglio così, forse ha preso la decisione più saggia. Partirà domattina.

– Domattina? – fece il mago sorpreso.

– Con il primo battello. Del resto, perché indugiare? Certe cose, più presto si fanno e meglio è. Provvederemo noi allo sgombero della casa.

– Dunque non potremo salutarla di persona?

– No, temo proprio di no. Ma non si preoccupino, le porgeremo senz'altro i loro saluti.

Lo scienziato fece scorrere di nuovo lo sguardo sui bagagli. – E dove andrà?

– Tornerà da dove è venuta.

Infine i due amici si congedarono. Mentre attraversavano il solaio l'anziana coppia rimase sulla soglia rivolgendo loro di tanto in tanto tristi cenni di commiato.

Appena furono soli il mago trasse un profondo sospiro. – Il destino – mormorò.

– Una concatenazione di cause naturali – lo corresse macchinalmente lo scienziato.

Dalla strada si volsero a guardare la casa dove Walter era vissuto.

– Il nostro povero amico – disse lo scienziato, – che aveva la pretesa di sapere come le cose sono.

Stampa Grafica Sipiel - Milano, marzo 1991